Under the editorship of

OTTO F. BOND

Première Étape

BASIC FRENCH READINGS

RETOLD AND EDITED BY

OTTO F. BOND
The University of Chicago

D. C. HEATH AND COMPANY
BOSTON

Sept-d'un-Coup

RETOLD AND EDITED AFTER THE FRENCH OF
ALEXANDRE DUMAS

BY

OTTO F. BOND
The University of Chicago

INTRODUCING 370 COMMON WORDS
AND 41 IDIOMS

BOOK ONE

D. C. HEATH AND COMPANY
BOSTON

« BAISSE LA TÊTE ET VOIS QUI JE SUIS »

ENTRE NOUS . . .

— So you wish to read French? Then you may as well begin by reading, for is not the deed born of the desire?

— But (you say) ... I am not ready. There are some grammar rules ... verb forms ... participles ... those pronouns ... and I have learned only a few score words of French.

— Surely, *mais ça viendra* — if you know what I mean. The game grows out of the playing of it; there is no exception for the learning of language.

— But, you see, my vocabulary is so small, and ...

— No doubt ... but it takes only a few simple notions of how the language is built, the ability to recognize the meaning of the variable forms of its grammar, including, say, a dozen irregular verbs, plus a score of very frequent words (such as you are apologizing for, perhaps!), to make a start at reading French. By the way, you might check your vocabulary against the words bearing an asterisk in the end-vocabulary, to verify your modest statement.

— Even at that (you add), the odds are against me. I know; I have tried a book or two. It won't work!

— It didn't work, you mean. No doubt, the odds *were* against you. But why not try a handicap in your favor: a six-point handicap?

We will reduce the odds against you by giving you (1) a *total* vocabulary limited to 370 words, all of which, except 25, will be needed in any future reading that you may do, i.e. a "rich" word-stock, 94 per cent "basic"; (2) out of the 370 words, a *known* vocabulary of 97 items (the asterisked words in the end-vocabulary), constituting fully 50 per cent of the text of the story and (3) a *new* vocabulary of 273 words, only 70 per cent of which (190 words) will be more or less unrecognizable in meaning, and therefore the main vocabulary burden; (4) a spread of these 273 *new* words through the some 8500 words of the running text, at an average rate of one new word to every thirty-one of the text, with each new word repeated at least twice within a hundred running words; (5) an easy gradation of grammar, tense usage, sentence and paragraph structure, and idioms (41 in number!); and (6), "fore-questions" to guide you to the high points of the story. Surely, with this handicap in your favor, you . . .

— But, the story . . .

— Ah! we were coming to that. It is the tale of the *Valiant Little Tailor*, a folk-tale filched from Dumas, who got it from Grimm, who inherited it, with many others, from a long line of story-tellers, stretching into the remote past. Many thousands in many lands have liked the gay, nimble-witted, imperishable Tailor. We hope that you will like him, too.

NOTE

You are quite sure of the meanings of the asterisked words in the end-vocabulary, we hope, because you will need them at the very start. They are the most essential words in French.

The *new* words and expressions, as they first occur in the story, are annotated (unless cognate) and are given with English equivalents at the bottom of the page. Derivatives and compounds of new words already introduced are placed in parentheses; words not cognate and outside of the basic vocabulary are in small capitals. An asterisk after a *new* French word in the text denotes an English cognate equivalent, dependable in the given context.

iv

SEPT–D'UN–COUP

I

Why is the tailor of Biberich happy?
What is the theme of the song that he sings?
At what point does the tailor stop singing?

Un jour, dans le village* de Biberich, un
petit tailleur [1] travaille [2] devant [3] sa fenêtre.[4]
Il est le tailleur du village. Il est un bon petit
tailleur; il travaille bien. Et comme il travaille, il regarde [5] par la fenêtre.

« Quel beau [6] jour ! »

Et le petit tailleur regarde les hommes, les
femmes et les enfants du village qui passent*
devant sa fenêtre. Il les regarde en travaillant.

« Quel beau jour ! » se dit-il, « et quel beau 10
village ! Je peux travailler bien, si le jour est
beau et si je peux regarder passer les hommes,
les femmes et les enfants devant ma fenêtre.
Cela me fait grand plaisir. » [7]

---

[1] **tailleur,** tailor. [2] **travailler,** to work. [3] **devant,** in front
of. [4] **fenêtre,** window. [5] **regarder,** to look (at). [6] **beau**
(*f.* **belle**), fine, beautiful. [7] **plaisir,** pleasure; **cela me fait
grand plaisir,** that gives me great pleasure.

Le petit tailleur est heureux [1]; et, comme il est heureux, il chante.[2] Il chante une vieille [3] chanson [4] comme il travaille. Il la chante de toutes ses forces.[5] Elle est belle, la chanson, 5 et il la chante bien.

Dans la chanson, il est question* d'un homme pauvre,[6] d'un petit tailleur, pauvre comme lui. On donne à ce pauvre petit tailleur la fille [7] du roi [8] en mariage.* Elle est belle, la fille du 10 roi, belle comme le jour. Et le petit tailleur dans la chanson est heureux. C'est une vieille chanson; elle est plus vieille que le petit village de Biberich.

Le petit tailleur de Biberich arrive* à la 15 dernière [9] ligne [10] de la chanson. C'est la ligne où la belle fille du roi prend la main [11] du tailleur. Elle lui donne sa main en mariage. En ce beau moment,* le tailleur de Biberich regarde par la fenêtre. Il ne travaille plus.

[1] **heureux,** happy. [2] **chanter,** to sing. [3] **vieille** (*m.* **vieux**), old. [4] **(chanson),** song. [5] **force,** (force), strength; **de toutes ses forces,** with all his might. [6] **pauvre,** poor, wretched. [7] **fille,** daughter, girl. [8] **roi,** king. [9] **dernière** (*m.* **dernier**), last. [10] **ligne,** line, row. [11] **main,** hand.

II

How does the tailor get the woman's attention ?
What do her pots contain ?
Which choice does he make at last ?

Par la fenêtre, il voit passer une vieille femme
du village qui crie* de toutes ses forces:

« Bonne marmelade* à vendre ![1]   Bonne
marmelade ! »

Cela fait grand plaisir au petit tailleur.   Il 5
s'arrête.[2]   Il ne chante plus la vieille chanson
de la belle fille du roi qu'on donne en mariage
à un pauvre tailleur.   Il ouvre [3] la fenêtre et de
sa main fait signe* à la femme de venir, en lui
criant: 10

« Par ici,[4] ma bonne femme, par ici !   Je veux
prendre de votre marmelade.   Elle est bonne,
n'est-ce pas ? »

La bonne femme entre* dans la petite
chambre [5] du tailleur.   Elle s'arrête devant la 15
table* où il travaille et ouvre tous ses pots*
de marmelade: marmelade de pommes,[6] marmelade d'oranges,* marmelade d'abricots.*

Elle ouvre tous les pots, les uns après [7] les

---

[1] **vendre,** to sell.   [2] **arrêter (s'),** to stop.   [3] **ouvrir,** to
open.   [4] **(Par ici),** This way !   [5] **chambre,** room, chamber.
[6] **pomme,** apple.   [7] **après,** after.

3

autres. Le dernier est un grand pot de marmelade d'abricots. Après les avoir tous ouverts,
elle s'arrête et regarde le petit tailleur. Celui-ci
ne veut pas de marmelade de pommes. Il ne
5 prend pas de marmelade d'oranges. C'est la
marmelade d'abricots qu'il veut prendre.

III

*How much marmalade does the old woman give
 him?*
What is his complaint?
How does the dispute end?

Le petit tailleur prend un morceau[1] de pain[2]
sur la table. Le morceau est gros[3] comme ses
deux mains. Il le donne à la vieille femme, en
10 lui disant:

« Donnez-moi beaucoup[4] de votre bonne
marmelade d'abricots sur ce morceau de pain.
Si vous m'en donnez trop,[5] bah! le jour est
beau et je suis heureux! »
15 La vieille femme prend le pot dans sa main et
met[6] sur le gros morceau de pain beaucoup de
marmelade. Elle en couvre[7] le morceau de
pain d'un bout[8] à l'autre.

---

[1] **morceau,** piece, morsel. [2] **pain,** bread. [3] **gros,** big, large.
[4] **beaucoup,** a great deal, much, many. [5] **trop,** too much
(many), too. [6] **mettre,** to put, place. [7] **couvrir,** to cover.
[8] **bout,** end, tip.

4

« Là ! » dit-elle, « en voilà[1] beaucoup, beaucoup ! Si cela vous fait plaisir, je vous la vends pour quatre sous. »[2]

« Ça ! pour quatre sous ! » lui dit le petit tailleur. « Vous dites pour trois sous, n'est-ce 5 pas, ma bonne femme ? C'est trop, quatre sous. Voyez là, comme le morceau de pain est petit. Il est tout[3] petit ; et la marmelade ne couvre pas ce bout du morceau. »

« Mais je vous dis que c'est pour quatre 10 sous, » lui dit la vieille femme, « quatre petits sous. Ça, ce n'est pas trop. Et la bonne marmelade que je vous vends là ! Quel gros morceau de pain ! Mon Dieu ![4] regardez-le ; il est plus gros que mes deux mains. »   15

Le petit tailleur attend[5] un moment ; il est pauvre, et quatre sous sont beaucoup à donner. Mais le jour est beau et il est heureux ; enfin[6] il met la main dans sa poche[7] et donne à la vieille femme les quatre sous qu'elle lui de- 20 mande.[8]

« Voilà les quatre sous que vous demandez, ma bonne femme, » lui dit-il, « mais c'est trop. C'est trop. Je ne suis pas la fille du roi. »

---

[1] **voilà,** there is (are).   [2] sou, cent.   [3] **(tout),** *adv.* very.
[4] **Dieu,** God ; **mon Dieu !** my goodness ! Heavens ! *etc.*
[5] **attendre,** to wait (for).   [6] **enfin,** finally, at last.   [7] **poche,**
pocket.   [8] **demander,** to ask (for).

La vieille femme prend les quatre sous, les met dans sa poche et s'en va,[1] en se disant:

« Mon Dieu ! quel homme ! quel homme ! Et me faire attendre pour un petit sou, un tout 5 petit sou ! Mais enfin, un sou, c'est un sou. »

IV

Why doesn't the tailor keep at his work ?
How does he spend his time ?
How does he get rid of the flies ?

Le petit tailleur n'y fait pas attention.[2] Il regarde son gros morceau de pain et la bonne marmelade qui le couvre d'un bout à l'autre.

« Cela est bien [3] agréable* à voir, » se dit-il, 10 « mais c'est plus agréable à manger.[4] Mais, avant de [5] le manger, il est question de finir [6] mon travail.[7] Le jour est beau et j'ai du travail à faire. »

Et avec cela, il met le morceau de pain sur 15 la table devant la fenêtre et se remet à [8] son travail.

Le petit tailleur ne fait plus attention aux

[1] (s'en aller), to go away, leave. [2] faire attention, to pay attention. [3] (bien), very. [4] manger, to eat. [5] avant (de), before (*time*). [6] finir, to finish. [7] (travail), work. [8] (se remettre à), to set about (begin) again.

hommes et aux femmes qui passent devant sa fenêtre; il ne chante plus en travaillant. Mais le morceau de pain attire[1] son attention; il ne fait pas bien son travail.

La belle odeur* de la marmelade va dans 5 toute la chambre. Elle attire beaucoup de mouches,[2] qui entrent par la fenêtre ouverte[3] et descendent* sur le morceau de pain en masse.*

Le pauvre petit tailleur ne peut pas finir son 10 travail; il s'arrête enfin, en s'écriant[4]:

« Eh bien! qui vous a dit de venir en masse manger de ma marmelade? Allez-vous-en, si vous ne voulez pas que je vous donne un bon coup[5] de ma main!» 15

Mais les mouches s'en vont et reviennent.[6] Le petit tailleur met son travail sur la table pendant qu'il[7] chasse[8] les mouches d'un coup de sa main. Elles ne s'en vont que pour y revenir, et le petit tailleur passe tout son temps[9] 20 à les chasser du pain.

Enfin il voit que les mouches vont manger toute la marmelade pendant qu'il travaille.

---

[1] **attirer,** to attract. [2] MOUCHE, fly. [3] (**ouvert**) *p.p.* **ouvrir,** open. [4] (**s'écrier**), to cry out. [5] **coup,** blow, slap, kick. [6] (**revenir**), to return, to come back. [7] **pendant que,** while. [8] **chasser,** to drive away (out). [9] **temps,** time.

« Attendez, attendez ! » s'écrie-t-il, en prenant
son mouchoir [1] dans sa poche. « Je vais vous
en donner de la marmelade, moi ! Vous allez
voir dans un moment qui je suis ! »

5   Et avec son gros mouchoir, il donne un coup
formidable [2] sur les mouches qui couvrent tout
le morceau de pain. Elles s'en vont par la
fenêtre — comme ça ! Mais il en reste [3] sept
sur la table — sept grosses mouches, tuées [4]
10 dans la bataille.[5]

V

What great decision does the tailor make ?
What does he do in preparation ?
How does he imagine that the village will receive
   him ?

« Très [6] bien ! » s'écrie le petit tailleur, en
mettant son mouchoir dans sa poche. Et il
regarde les sept grosses mouches, tuées par son
formidable coup de mouchoir.

15   « Très bien ! Quel homme de courage* et
de force que je suis ! Mon Dieu ! sept d'un
coup ! Et le village ne le sait pas. Ah, je vais
lui faire savoir [7] qui je suis. Je ne vais pas

---

[1] **mouchoir,** handkerchief.   [2] FORMIDABLE, (formidable),
dreadful.   [3] **rester,** to remain, stay.   [4] **tuer,** to kill.   [5] **bataille,** battle.   [6] **très,** very.   [7] **faire savoir,** to inform.

rester ici dans ma chambre tout le jour, devant
la fenêtre; je ne vais pas finir ce travail. Mon
Dieu! quel coup formidable! Je vais dire à
tout le village — à tous les hommes, à toutes
les femmes et à tous les enfants — ce que je 5
viens de faire. »[1]

Alors[2] le petit tailleur prend un morceau du
drap[3] sur lequel il travaille et y pique[4] en
grosses lettres*: SEPT–D'UN–COUP.

C'est un très beau drap de couleur[5] bleue.[6] 10
Le petit tailleur y pique des lettres grosses
comme la main; il les fait en couleur rouge[7]
et les pique l'une après l'autre dans le beau
drap. Il chante en les piquant, et regarde par
la fenêtre.   15

Alors, il se fait du morceau de drap bleu une
belle ceinture.[8] Il la met[9] et se regarde un
moment:

« Mon Dieu! » s'écrie-t-il, « quelle ceinture!
Elle est si belle, toute en drap bleu avec de 20
grosses lettres piquées en rouge. Si je la mets
et si je vais dans le village, elle va attirer l'attention de tous ceux qui me voient. Alors, ils

---

[1] **ce que je viens de faire,** what I have just done (**venir de**
+ *inf.* = to have just + *p.p.*).   [2] **alors,** then.   [3] **drap,**
cloth.   [4] **piquer,** to prick, stitch.   [5] **couleur,** color.   [6] **bleue**
(*m.* **bleu**), blue.   [7] **rouge,** red.   [8] **ceinture,** belt, sash.
[9] **(mettre),** to put on.

9

vont s'écrier: ‹ Ah ! le brave [1] petit tailleur !
Quel homme de courage ! › Mais ce n'est pas
tout; si je m'en vais du village, c'est tout le
monde [2] qui va dire cela. Mon Dieu ! tout le
5 monde ! Quel plaisir ! »

VI

What does he put in his pocket before he goes ?
What does it look like ?
What does he do as he leaves the room ?

Le petit tailleur s'arrête et regarde la belle
ceinture qu'il vient de faire. Il ne chante plus.
Il ne va pas finir son travail; il va s'en aller
dans le monde.

10 Alors, il mange le morceau de pain couvert [3]
de marmelade. En le mangeant, il cherche [4]
dans la chambre pour voir s'il ne peut rien
trouver [5] à mettre dans sa poche.

Il ne trouve rien qu'un vieux fromage, [6] rond [7]
15 comme une pomme et gros comme la main. Le
petit tailleur cherche bien, mais c'est tout ce
qu'il peut trouver dans la chambre.

Le fromage est si vieux qu'il ressemble* à

[1] BRAVE, (brave), worthy, good.   [2] monde, world.
[3] (couvert) *p.p.* couvrir, covered.   [4] chercher, to look (for).
[5] trouver, to find; s'il ne peut rien trouver, if he cannot find
something.   [6] FROMAGE, cheese.   [7] rond, round.

10

une pierre ¹; il le met dans sa poche avec son mouchoir, en se disant:

« Ce fromage n'est pas très agréable à manger, mais on ne sait pas ce qui peut arriver,² si l'on va dans le grand monde. Et si l'on est pauvre, ⁵ comme moi, on peut bien manger un vieux fromage; c'est beaucoup plus agréable à manger qu'une pierre. »

Alors, il met les deux mains dans sa belle ceinture bleue, chante la dernière ligne de la ¹⁰ chanson où la belle fille du roi donne sa main au pauvre petit tailleur devant tous les hommes du village, et sort ³ de sa chambre.

VII

Why doesn't the bird fly away ?
Where does the road take the tailor ?
What does he find there ?

Le brave petit tailleur ! Il n'a pas un sou dans sa poche. Tout ce qu'il a, c'est un gros ¹⁵ mouchoir et un vieux fromage rond dans une poche, et rien dans l'autre. Et il s'en va voir le monde !

Comme il sort du village, il voit dans les

¹ **pierre,** stone.   ² **(arriver),** to happen.   ³ **sortir (de),** to go out, leave.

branches d'un arbre¹ un petit oiseau² qui
essaie de³ monter⁴ dans l'air.* Mais l'oiseau
ne peut pas le faire; ses pieds⁵ sont pris⁶
dans les branches de l'arbre. Le tailleur va
5 prendre l'oiseau dans sa main et le met dans
l'autre poche. Alors, il s'en va bravement par
la route,⁷ et comme le jour est beau et comme il
n'a rien à faire, il chante sa belle chanson.

La route le conduit⁸ au haut⁹ d'une mon-
10 tagne.¹⁰

Comme il monte sur la route, il peut voir
tout le village de Biberich et beaucoup d'autres
villages au pied de la montagne. Ils ressemblent
à de petits fromages ronds, la montagne est si
15 haute, si haute. Le petit tailleur essaie de voir
la fenêtre de sa chambre, mais il ne peut plus
la voir.

Enfin, il arrive au haut de la montagne. Là,
il trouve un géant.¹¹

20 Le géant est énorme.¹² Il est gros comme la
chambre du tailleur, plus haut qu'un arbre,
et avec des mains et des pieds gros comme une
table. Il est si grand et si gros qu'il ressemble

---

¹ **arbre,** tree.   ² **oiseau,** bird.   ³ **essayer (de),** to try.
⁴ **monter,** to go up, rise.   ⁵ **pied,** foot.   ⁶ **(pris)** *p.p.*
prendre, caught, taken.   ⁷ **route,** (route), road.   ⁸ **conduire,**
to lead, take.   ⁹ **haut,** high; *n.* top.   ¹⁰ **montagne,** mountain.
¹¹ GÉANT, giant.   ¹² **énorme,** enormous, huge.

12

à un énorme pot, mis [1] sur le haut de la montagne.

VIII

How does the tailor greet the giant ?
What threat does the giant make ?
What does the tailor show him ?

Est-ce que le petit tailleur a peur [2] du géant ?
Ah, non ! [3] Pas lui ! Il va vers [4] le géant, se
met près de [5] ses pieds, regarde en l'air, et crie 5
de toutes ses forces:

« Bonjour, [6] camarade ! [7] Quel beau jour !
Tu es monté sur cette haute montagne pour
voir le monde, n'est-ce pas ? Moi, je suis en
route [8] pour le voir; veux-tu venir avec moi ? 10
Je vais te le faire voir, [9] si tu n'as pas peur de
moi. »

Le géant ne dit rien. Il baisse [10] la tête, [11]
essaie de voir le petit tailleur, finit par le trouver
près de ses pieds, et, le regardant d'un air 15
terrible*:

---

[1] (mis) *p.p.* mettre, put, placed, set.   [2] peur, fear; avoir
peur, to be afraid.   [3] non, no.   [4] vers, towards, to.
[5] près (de), near.   [6] (bonjour), good morning.   [7] CAMA-
RADE, comrade.   [8] (en route), on the way.   [9] (faire voir),
to show. [10] baisser, to lower, bend down.   [11] tête, head.

13

« Tête de mouche, » lui dit-il, « que me dis-tu
là ? Tu veux me faire voir le monde, toi, qui
n'es pas si grand qu'un morceau de fromage ?
Ne te mets pas si près de mon pied, ou je te
5 fais monter en l'air comme un oiseau. Va-
t'en, petit morceau d'homme, ou je te tue là
où tu es ! »

« Ah ! c'est comme cela ! » lui dit le petit
tailleur. « Si tu es si terrible, baisse la tête et
10 vois qui je suis. »

Et il fait voir au géant sa belle ceinture bleue,
sur laquelle sont piqués en des lettres rouges,
grosses comme la main, ces mots[1]: SEPT–
D'UN–COUP.

IX

Why does the giant feel respect for the tailor ?
What does he challenge the tailor to do ?
How does the tailor meet the test ?

15   Le géant baisse la tête et regarde un moment
la ceinture. Il croit[2] que ce sont sept hommes
que le petit tailleur a tués d'un coup dans une
bataille, et il a pour lui un certain* respect.*
Mais il veut le mettre à l'épreuve.[3] Il prend

---

[1] **mot,** word.   [2] **croire,** to believe.   [3] **épreuve,** test, trial.

14

dans ses deux mains une énorme pierre qui se
trouve [1] près de la route:

« Là ! petite mouche d'homme, » lui dit-il,
« fais cela, si tu le peux. »   Et pressant [2] la
pierre de toutes ses forces, il en fait sortir un 5
peu [3] d'eau. [4]

« Bon ! » dit le petit tailleur, qui n'a peur de
rien.   « N'est-ce que cela ? Dans mon village,
au pied de la montagne, ce sont les petits enfants qui font cela. Faire sortir de l'eau des 10
pierres, ce n'est pas une épreuve des forces d'un
homme comme moi ! »

Et, prenant dans sa poche son fromage, il
le presse dans une main et si bien que beaucoup
d'eau en sort.   15

Le géant, qui prend le vieux fromage pour
une pierre, ne sait que dire [5]; il croit que le
petit tailleur peut tout faire. Mais il veut le
mettre à une autre épreuve.

---

[1] (se **trouver**), to be, happen to be.   [2] **presser**, (to press),
squeeze.   [3] **peu,** little.   [4] **eau,** water.   [5] (**savoir que dire**),
to know what to say.

X

What is the second test of skill proposed?
How does the tailor meet this test?
What third proposal does the giant make?

Alors, le géant se baisse, prend une autre pierre et la jette[1] en l'air avec beaucoup de force. Il la jette si vite[2] et si haut que le pauvre tailleur ne peut pas la voir. Le petit
5 homme l'attend, les mains dans les poches. Après quelque[3] temps, la pierre revient à la terre.[4]

« Eh bien, petit bout d'homme, » lui dit le géant, « essaie de faire cela. Voyons si les
10 petits enfants peuvent jeter une pierre comme ça ! »

« Bien jetée ! » s'écrie le petit tailleur. « Il est certain que ta pierre est montée très haut, même[5] plus haut que dix arbres, mis les uns
15 sur les autres. Mais enfin elle est revenue à la terre. Eh bien, regarde-moi; je vais jeter une pierre qui ne va plus revenir. »

Il se baisse, comme s'il prend une pierre sur la terre, met la main dans sa poche, y

---

[1] **jeter,** to throw.　　[2] **vite,** quick(ly).　　[3] **quelque,** some, a few.　　[4] **terre,** earth, land.　　[5] **même,** *adj.* same; *adv.* even.

16

prend le petit oiseau et le jette vite en l'air. L'oiseau, se retrouvant en liberté,* monte, monte, monte toujours.[1] Pendant quelque temps on le voit monter, puis [2] on ne peut plus le voir. Le géant attend toujours, mais l'oiseau ne revient pas. 5

« Ah ! ah ! » dit le petit tailleur, « que dis-tu de cela, camarade ? »

« Très bien ! » lui dit le géant, « mais, jeter des pierres, ce n'est rien; nous allons voir si 10 tu as assez[3] de force pour porter[4] ce que je peux porter sur la tête, moi. »

Alors, il conduit le petit tailleur vers un arbre énorme qui se trouve sur la terre près de la route. Les branches de l'arbre couvrent 15 toute la terre et son tronc [5] est gros comme la tête du géant.

« Aide-moi [6] à porter cet arbre au haut de la montagne, » lui dit-il, « si tu as assez de force pour le lever,[7] petit bout d'homme. » 20

« Eh bien, » dit le tailleur, « mets le tronc de l'arbre sur ta tête; moi, je vais en porter le bout, même avec toutes ses branches. En route ! » [8]

---

[1] **toujours,** always, still, ever, constantly.   [2] **puis,** then, after that.   [3] **assez,** enough.   [4] **porter,** to carry.   [5] TRONC, trunk (*of a tree*).   [6] **aider,** (to aid), help.   [7] **lever,** to raise, lift.   [8] (**En route !**), Let's go !

17

What trick does the tailor play on the giant ?
When the giant stops, what does the tailor do ?
How does the tailor get the giant to go on ?

Le géant ne dit rien. Il lève le gros tronc
de l'arbre, le met sur sa tête, et se remet en
route. Mais le petit tailleur monte vite dans
les branches, derrière[1] le géant. Comme le
5 géant ne peut pas regarder derrière lui, il doit[2]
porter et[3] l'arbre et[3] le petit tailleur, tous les
deux.[4]

Quel travail ! Le pauvre géant doit travailler comme quatre. Le petit tailleur, lui,
10 ne l'aide pas du tout.[5] Monté dans les branches
derrière son gros camarade, il chante toujours
comme si porter cet énorme arbre n'est rien.

Après quelque temps, le géant, fatigué[6] de
porter son arbre (et le tailleur !), s'arrête:
15 « Fais attention ! » s'écrie-t-il. « Je vais mettre l'arbre à terre[7]; je ne peux pas le porter
plus loin.[8] Je commence[9] à être trop fatigué. »

Le petit tailleur descend vite à terre, prend

---

[1] **derrière,** behind. [2] **devoir,** to have to, ought to, must.
[3] **et . . . et,** both . . . and. [4] **tous les deux,** both. [5] (**du
tout**), at all. [6] **fatigué,** tired. [7] **à terre,** on the ground.
[8] **loin,** far. [9] **commencer,** (to commence), begin.

le bout de la dernière branche dans ses mains, comme s'il l'a portée toujours et la porte en ce moment, et dit au géant:

« Tu as l'air [1] d'être un homme de grandes forces, mais tu n'en as pas assez pour porter 5 ta part* de cet arbre ? Eh bien, tu dois te mettre sur le tronc pendant que je te porte avec l'arbre, mon petit. »

Le géant ne dit rien. Il relève vite sa part de l'arbre et ils se remettent en route. 10

Le géant porte toujours le tronc sur sa tête, et le tailleur se met, comme un oiseau, dans les branches, derrière lui.

Pendant qu'ils montent sur la route, le petit tailleur chante, chante toujours, comme si le 15 travail de porter ce gros arbre n'est rien.

XII

What trick does the giant play on the tailor ?
Why isn't the tailor hurt by the fall ?
What advice does the giant give him ?

Un peu plus loin, ils passent devant un arbre qui porte des pommes. Le géant prend cet arbre par le haut, le baisse derrière lui et en met

[1] (air), look, appearance.

19

les dernières branches dans les mains du tailleur, en lui disant:

« Voilà de très belles pommes; prends cette
branche; tu peux manger des pommes en route,
5 si cela te fait plaisir. Les pommes sont bien
agréables à manger, tu sais. Moi, je ne vais pas
en manger; j'ai trop de travail à faire. »

Le petit tailleur lève les deux mains et prend
la branche, mais, en ce moment, le géant ouvre
10 ses mains. L'arbre, remis en liberté, revient à
sa première[1] position.* Cela fait monter vite
en l'air le pauvre tailleur. Il passe comme un
oiseau plus haut que les dernières branches de
l'arbre et va tomber[2] dans l'herbe[3] près de la
15 route.

En montant, le petit tailleur croit qu'il va
se tuer en descendant, mais au moment où il
commence à descendre, il prend les deux bouts
de sa ceinture dans ses deux mains et fait ar-
20 rêter un peu sa descente.* Il tombe dans l'herbe
sans se faire de mal,[4] se lève[5] très vite et regarde
le géant comme s'il n'a rien fait.

« Tête de mouche, » lui dit le géant, « n'as-tu
pas assez de forces pour tenir[6] ce petit arbre?
25 Veux-tu te tuer? Tu vas te faire beaucoup de

---

[1] **première** (*m.* **premier**), first. [2] **tomber,** to fall. [3] **herbe,**
grass. [4] **mal,** *n.* harm, hurt; *adv.* badly. [5] **(se lever),** to
rise, get up. [6] **tenir,** to hold, keep.

20

mal, si tu essaies de faire ce que font les hommes. Pauvre petit, tu dois faire attention à ce que tu fais. »

XIII

According to the tailor, what did he do ?
How successful is the giant in imitating him ?
What does the giant propose that they do next ?

« Bon ! » répond [1] le petit tailleur, « tu ne vas pas croire que, ce que je viens de faire là, je ne 5 l'ai pas fait pour mon bon plaisir ? Tu dois savoir que celui qui peut faire sortir de l'eau d'une pierre, qui peut jeter une pierre si haut et si loin qu'elle ne revient pas, qui peut porter sa part d'un arbre si gros que, toi, tu ne peux 10 plus le porter sans être trop fatigué, celui-là est un homme qui peut tout faire. Tout ! Tout ! même tenir le haut d'un arbre sans se faire de mal !

« Ah, non ; j'ai voulu sauter,[2] c'est tout. 15 Sauter, ça me fait plaisir. Alors, hop ! et je me retrouve sur les pieds devant toi, comme tu me vois. Essaie de le faire, toi, si tu n'as pas peur de tomber. »

Vite, le géant essaie de le faire ; mais, comme 20 il est très fatigué d'avoir porté le gros arbre si

---

[1] **répondre,** to reply, answer.   [2] **sauter,** to jump.

loin, il ne lève pas les pieds assez haut, et ils
sont pris dans les branches de l'arbre. Le géant
s'en va tomber dans l'herbe sur la tête, là où
le petit tailleur est retombé sur les pieds.

5 « Assez de sauter ! » s'écrie-t-il, en se relevant
vite. « Tu es un si brave camarade, viens
passer la nuit[1] dans notre caverne.[2] Elle n'est
pas loin d'ici. Je t'invite à manger et à boire[3]
avec moi et mes bons camarades. »

10 « Ça me fait grand plaisir, » lui répond le
petit tailleur, « je ne veux pas passer la nuit
sur la montagne; ce n'est pas très agréable.
Je peux toujours manger du pain et boire de
l'eau, et, s'il y a de la marmelade avec le pain,
15 ah ! quel plaisir ! »

Et il s'en va derrière le géant.

XIV

Why do the giants fail to see the tailor ?
How large are the beds ?
Where is the tailor when he goes to sleep ?

En entrant dans la caverne, le petit tailleur
voit neuf géants, qui mangent et boivent autour d'une[4] énorme table. Chaque[5] géant
20 mange une petite bête[6] qu'il tient par la tête

---

[1] **nuit,** night. [2] CAVERNE, cave. [3] **boire,** to drink. [4] **autour (de),** around. [5] **chaque,** each. [6] **bête,** beast, animal

22

dans ses deux mains, et y travaille si bien qu'il ne voit pas entrer le petit tailleur.

Le tailleur regarde autour de lui, et se dit:

« Mon Dieu ! voilà une chambre un peu plus grande que ma chambre à Biberich. » 5

Alors, prenant un morceau de pain et du fromage qu'il a toujours dans sa poche, il les mange, va boire de l'eau dans un pot qui se trouve sur un bout de la table, et dit à son gros camarade: 10

« Eh, bien, je suis un peu fatigué; je veux dormir [1] un peu. Où dois-je me mettre pour passer la nuit ? »

« Par ici, » lui répond le géant, et il lui fait voir toute une ligne de lits. [2] Chaque lit est 15 énorme, grand comme dix tables, mises les unes après les autres.

Le petit tailleur se met dans le dernier lit, au bout de la ligne. Mais il trouve le lit de beaucoup trop grand; il ne peut pas y dormir. 20 Alors, il se lève et se met à terre au pied du lit. Là, il dort comme une pierre.

[1] **dormir,** to sleep.   [2] **lit,** bed.

XV

What narrow escape does the tailor have ?
Why are the giants surprised to see him coming ?
What is their reason for running away ?

Après avoir mangé et bu,[1] chaque géant se met dans son lit, où, en peu de temps, il dort comme de l'eau dans un pot.

Mais le géant qui a conduit le petit tailleur
5 à la caverne ne dort pas. Il se lève sans bruit [2] et vient vers le lit du petit tailleur. C'est le dernier lit de la ligne. Croyant que le tailleur y dort toujours — c'est la nuit et le géant ne peut pas bien voir — il prend une énorme pierre
10 et, d'un seul [3] coup, il met le lit en tout petits morceaux.

Le bruit du coup est terrible; il arrive au village de Biberich et fait peur à tous les petits enfants dans leur lit. Mais les neuf géants
15 dorment toujours.

« Bon ! » se dit le géant, « je crois bien que j'en ai fini enfin avec cette bête-là. » [4] Et il se remet au lit.[5]

---

[1] (bu) *p.p.* **boire,** drunk.   [2] **bruit,** noise, sound.   [3] **seul,** single, alone, only.   [4] **je crois bien ... cette bête-là,** I certainly think that at last I have put an end to that animal. [5] **Et il se remet au lit,** And he goes back to bed again.

Au point du jour,[1] tous les géants se lèvent
et sortent de la caverne pour aller travailler dans
la montagne. Ils croient tous qu'ils en ont fini
avec le petit tailleur.

Mais pas du tout ! Le voilà qui vient sur la 5
route, seul, les mains dans les poches, et qui
chante de toutes ses forces. Il porte toujours
sa belle ceinture, sur laquelle sont piqués en
grosses lettres rouges les mots: SEPT–D'UN–
COUP. 10

« Quel est cet homme ? » se disent-ils. « Il
peut tout faire; on ne peut pas en finir avec
lui. Sept d'un coup ! Mais nous ne sommes
que dix ! Il n'y en a pas même assez pour deux
coups ! » 15

Et ils s'en vont en courant [2] dans la montagne, avec un bruit formidable. Ils ne regardent pas derrière eux de peur de voir venir
toujours le brave petit tailleur qui tue sept
hommes d'un seul coup. 20

[1] **point du jour,** daybreak.　　[2] **courir,** to run.

XVI

Left alone, what does the little tailor do ?
What does he leave behind him ?
Having seen the world, what will he do ?

Le tailleur, laissé [1] seul dans la montagne,
regarde courir les géants un moment, en silence.* Puis, il met les mains dans sa ceinture
et se remet en route, en chantant cette vieille
5 chanson où un pauvre petit tailleur prend en
mariage la belle fille du roi.

Il marche [2] tout droit devant lui.[3] Il ne sait
pas où il va; il sait seulement qu'il va voir le
monde.

10 Derrière lui, il laisse la caverne des géants
où il a passé la nuit, et, au pied de la montagne,
le petit village de Biberich. Il ne peut plus les
voir.

C'est le point du jour. Les oiseaux com-
15 mencent à chanter dans les arbres et, près de
la route, les bêtes de la montagne viennent
boire de l'eau.

« Le jour est si beau ! » se dit le petit tailleur,
« et je suis libre [4] d'aller là où je le veux. Si

---

[1] **laisser,** to leave, let.   [2] **marcher,** (to march), walk.
[3] **droit,** straight; **tout droit devant lui,** straight ahead.   [4] (**libre**), free.

je marche tout droit devant moi, je verrai tout
le monde; puis, je reviendrai au village de
Biberich, où je finirai mon travail. Ah, oui,[1]
je finirai ce travail, si j'y reviens — si j'y reviens ! »   5

XVII

Where does the tailor arrive finally ?
What does he do there ?
What do the three men think he is ?

Il marche toujours tout droit devant lui et
il arrive enfin dans le jardin [2] d'un beau palais.[3]
Le jardin est si grand et le palais si beau que
le petit tailleur croit que c'est là que vit [4] le roi
du pays.[5] Il s'arrête et, comme il est très 10
fatigué d'avoir marché si loin, il se met sous [6]
un grand arbre où, en peu de temps, il dort
comme une pierre.
Pendant qu'il dort, trois hommes qui passent
par le jardin, s'arrêtent près de lui et le re- 15
gardent. Ils voient bien que le petit tailleur
n'est pas un homme du pays et qu'il ne vit pas
dans le palais. Puis ils voient les lettres piquées sur sa ceinture: SEPT–D'UN–COUP.
« Bon Dieu ! » se disent-ils, « que vient faire 20

---

[1] **oui,** yes.   [2] **jardin,** garden.   [3] **palais,** palace.   [4] **vivre,**
⌐o live.   [5] **pays,** country, land.   [6] **sous,** under.

ici ce grand tueur ?¹ Nous ne sommes pas en
guerre.² Ce doit être un héros* formidable!
On doit le laisser dormir à son bon plaisir,
même ici, dans le jardin du roi. »

5 Puis, en silence,* ils s'en vont trouver leur
roi.

XVIII

Why do the men wish to keep him in the country ?
How does the King propose to do it ?
What does the tailor say in his sleep ?

« Votre Majesté,* » lui disent-ils, « il y a
dans le jardin du palais un homme qui n'est pas
du pays et qui dort sous un arbre. Ce doit
10 être un grand tueur de géants; s'il arrivait une
guerre, il pourrait vous être très utile.³ Nous
croyons qu'on ne devrait pas le laisser partir. »

« Oui, il est certain que s'il est un tueur de
géants, on devrait le garder⁴ dans le pays, »
15 répond le roi. « Il pourrait nous être bien utile
en temps de guerre. On ne doit pas le laisser
partir,⁵ même s'il le veut. Allez lui dire que je
lui offre⁶ un grade⁷ dans mon armée*; et
dites-lui de venir me voir au palais. »

---

¹ (tueur), killer.   ² guerre, war; en guerre, at war.
⁸ utile, useful. ⁴ garder, to keep. ⁵ partir, to depart, leave.
⁶ offrir, to offer.   ⁷ GRADE, (grade), rank.

Les trois hommes sortent du palais et vont trouver le petit tailleur, qui dort toujours sous l'arbre, la tête sur la main. Comme ils le regardent, le petit tailleur commence à parler,[1] tout en [2] dormant: 5

« Ah! ah! qui vous a invités à venir ici? Attendez! attendez! vous allez voir qui je suis. Je vais vous donner de mes plus beaux coups. Là! et là! Mon Dieu! quelle bataille! — sept d'un coup! d'un seul coup de ma main! Ah! [10] je vous l'ai dit, n'est-ce pas? »

Les trois hommes se regardent les uns les autres; ils ont si grand'peur qu'ils ne savent que faire. Si l'on réveille [3] le tailleur, que fera-t-il après? Il pourrait tout faire, même [15] les tuer d'un seul coup. Si l'on le laisse partir du pays, le roi se fâchera,[4] c'est certain. Alors, on doit attendre.

---

[1] **parler,** to speak, talk.   [2] **(tout en),** while.   [3] **réveiller,** to wake (up).   [4] **se fâcher,** to get angry.

29

XIX

In what manner does the tailor awaken ?
On what condition does he accept the King's offer ?
What does the King's messenger invite him to do ?

On attend, attend toujours.

Enfin le petit tailleur se réveille. Il passe
sa main sur sa tête, ouvre un œil,[1] puis deux
yeux,[1] puis il se lève et regarde les hommes.
5 Ils restent toujours au pied de l'arbre, les yeux
baissés, sans rien dire.

« Pardieu ! »[2] dit le petit tailleur, « parlez
vite, si vous avez à me parler. »

« Ne vous fâchez pas, monsieur,[3] ne vous
10 fâchez pas, » répond l'un des trois qui a plus
de courage que les autres. « Notre roi ne veut
pas vous laisser partir du pays sans vous offrir
un grade dans son armée. Voulez-vous lui
faire le plaisir de l'accepter* ? »

15 « Pardieu ! oui, » répond le petit tailleur,
« je ne suis venu dans ce pays que pour cela;
mais je dois vous dire que le seul grade que je
veux prendre, c'est celui de général* en chef. »[4]

« Ah, monsieur, je crois que c'est celui que
20 Sa Majesté veut vous offrir, » dit l'homme très
vite, « et si vous voulez me suivre[5] au palais,

[1] œil, *pl.* yeux, eye. [2] **Pardieu !** By Jove ! [3] **monsieur,**
sir. [4] **chef,** chief. [5] **suivre,** to follow.

où Sa Majesté vous attend en ce moment, on vous dira ce qu'on veut faire. »

Sur cette promesse,[1] le petit tailleur suit les hommes au palais.

XX

What does the tailor receive for his services?
Why do the other officers resent this?
What do they wish to do about it?

Le roi l'attend.   5

Sa Majesté reçoit[2] le petit tailleur avec les plus grands honneurs,* comme un héros, et lui donne le grade de général en chef dans son armée, suivant sa promesse.

Pour ses bons services, le petit tailleur doit 10 recevoir cent[3] francs* par jour[4] et un des plus beaux châteaux[5] du pays, où il peut vivre en grand honneur.

Tout cela fait grand plaisir au pauvre petit tailleur qui, pour ceux qui vivent dans ce pays, 15 n'est plus tailleur, mais grand homme, tueur de géants et général en chef de l'armée de Sa Majesté, le roi.   Enfin, il va faire fortune.*

Mais tout cela ne fait pas plaisir aux autres officiers* du roi, — pas du tout !   Ils croient 20

---

[1] **promesse,** promise.   [2] **recevoir,** to receive.   [3] **cent,** hundred.   [4] **par jour,** a day.   [5] **château,** (château), castle.

tous qu'on a fait au tailleur de trop grands
honneurs; qu'il reçoit trop d'argent[1] par jour
pour ses services,* et qu'il va trop vite faire
fortune. Alors, ils se fâchent; ils veulent chas-
5 ser du pays le général en chef que le roi vient
de leur donner.

« Qu'allons-nous faire ? » se disent-ils entre[2]
eux. « Si ce tueur se fâchait contre[3] nous, il
pourrait nous donner des coups, et à chaque
10 coup il pourrait en tuer sept d'entre nous.
Voilà ce qui ne doit pas arriver. »

XXI

What difficulties influence the King's action ?
What services does he exact of the tailor ?
What will be the tailor's reward ?

Alors, ils vont trouver le roi, à qui ils disent
qu'ils ne sont pas faits pour vivre avec un
homme qui peut en tuer sept d'entre eux d'un
15 seul coup. Ils lui disent aussi[4] qu'ils ne pourront plus lui être utiles, s'il garde le petit tailleur dans son service.

Le roi ne sait que faire.

Il a fait une promesse au tailleur et il doit

---

[1] **argent,** silver, money. [2] **entre,** between, among. [3] **contre,** against; **se fâchait contre nous,** became angry with us.
[4] **aussi,** also, too.

32

la tenir. Il voit que le tailleur lui pourrait être
utile en guerre, mais il voit aussi qu'il va
perdre [1] ses officiers, s'il garde le tailleur dans
son armée; et il ne veut pas les perdre. Il
regrette* d'avoir reçu [2] cet homme dans ses 5
services, mais il a peur de le chasser du pays.
Il ne veut pas faire fâcher un homme si terrible,
qui pourrait tuer toute son armée. Enfin, il
lui vient une bonne idée [3]:

   « Allez dire à monsieur le général en chef, » 10
dit-il à l'un d'entre ses officiers, « que je regrette
de ne pas avoir une guerre à faire. Dites-lui
qu'il doit être ennuyeux [4] pour un si grand
héros de vivre seul dans un vieux château, sans
rien à faire.   15

   « Dites-lui, aussi, qu'il se trouve dans une
forêt [5] de mon pays deux énormes géants qui
mangent des hommes, des femmes et des enfants qu'ils y tuent chaque jour. On ne peut
pas vivre dans les villages du pays. Ces géants 20
mettent le feu [6] aux maisons [7] et mangent les
petits enfants. Même les hommes de grand
courage ont peur de traverser cette forêt.

   « Dites-lui que, s'il tue ces géants, je lui
donnerai ma fille en mariage, et elle lui appor- 25

---

   [1] **perdre,** to lose.   [2] (**reçu**) *p.p.* **recevoir,** received.   [3] **idée,**
idea.   [4] **ennuyeux,** tiresome, dull.   [5] **forêt,** forest.   [6] **feu,**
fire; **mettre le feu à,** to set fire to.   [7] **maison,** house.

tera [1] sa fortune et sa part du pays. Je lui offre aussi cent hommes pour l'aider. Eh bien! allez vite lui dire ce que j'ai dit. »

XXII

What does the tailor say that he is looking for ?
Why won't he accept the hundred men ?
How does he express his opinion of the task ?

Le roi finit de parler.

5 L'officier, sans attendre un moment, s'en va trouver le petit tailleur, qu'il trouve seul dans le jardin de son château. Il lui dit ce qu'a dit le roi.

« Pardieu! » s'écrie le petit tailleur, « voilà une belle idée, celle du roi! Je commence à être très fatigué ici à ne rien faire. Il est ennuyeux de vivre seul sans camarades, dans une vieille maison comme celle-ci. Je cherche des aventures,* quelques petites batailles. Alors, dites 15 à Sa Majesté que j'accepte* son offre.*

« Mais dites-lui aussi que je n'accepterai pas les cent hommes; je n'ai pas besoin [2] de leur aide.* Je connais [3] les géants comme ma poche. J'irai seul dans la forêt trouver ces terribles

---

[1] **apporter**, to bring. [2] **besoin**, need. [3] **connaître**, to know; **connaître comme ma poche**, to know all about . . .

34

géants et les tuerai seul. Après les avoir tués
tous les deux, je leur couperai[1] seul la tête et
je mettrai le feu à leur maison. Puis, j'ap-
porterai au roi les deux têtes coupées. Ce ne
sont rien, les géants; pas plus que ça!»   5

Et le brave petit tailleur ferme[2] et rouvre[3]
les yeux, très vite.

XXIII

What does the tailor tell his men to do?
What are the giants doing when he finds them?
How does the tailor begin his task?

Le tailleur part le même jour.

Avec lui s'en vont les cent hommes, parce
que[4] le roi le veut toujours. Mais le roi ne   10
connaît pas son homme. Comme celui-ci entre
dans la forêt, il s'arrête et dit à ceux qui le
suivent:

«Restez ici; je n'aurai pas besoin de vous
pour tuer ces deux mouches-là. Quand[5] ce sera   15
fini, je reviendrai ici vous le dire.»

Les cent hommes ne demandent rien de
mieux[6] que de rester là pendant que leur gé-

---

[1] **couper,** to cut (off).   [2] **fermer,** to close.   [3] (**rouvrir**),
to open again.   [4] **parce que,** because.   [5] **quand,** when.
[6] **mieux,** *adv.* better.

néral fait son travail seul, parce qu'ils ont
grand'peur des géants.

Le petit tailleur avance* dans la forêt, en
regardant bien autour de lui. De temps en
5 temps,[1] il s'arrête pour mieux voir où il est;
puis, il avance, en allant toujours tout droit
devant lui. Il ne peut plus voir ses hommes.
Enfin il voit les deux géants.

Ils dorment sous un arbre, et ils font un
10 terrible bruit en dormant.

Le petit tailleur ne perd pas un moment; il
met quelques pierres dans ses poches et monte
vite dans l'arbre au pied duquel dorment ses
ennemis.* L'arbre a beaucoup de branches,
15 qui le cachent[2] aux géants.

XXIV

In what manner does he awaken the giants?
What effect has each of the stones?
How does the second giant explain the trouble?

Quand il arrive au haut de l'arbre, le petit
tailleur avance sur une branche et s'arrête
tout au-dessus des [3] dormeurs.[4] Il y est si bien
caché qu'on ne peut pas le voir de la terre. Là,

---

[1] **de temps en temps,** now and then.   [2] **cacher,** to hide.
[3] **au-dessus (de),** above, over.   [4] **(dormeur),** sleeper.

36

il laisse tomber une pierre, puis deux, puis trois sur l'œil de l'un des géants.

Celui-ci, à la première, ne sent[1] rien; à la deuxième,[2] il croit que c'est une feuille[3] qui tombe de l'arbre. Mais à la troisième,[4] qui 5 est un peu plus grosse que les autres, il ouvre l'œil, donne à son camarade un bon coup de sa main, et s'écrie:

« Hé! que fais-tu là? Est-ce que tu veux recevoir un bon coup de pied, toi? Si tu fais 10 cela encore,[5] tu le regretteras, c'est certain. Laisse-moi dormir. »

« Tu es ennuyeux, mon petit, » lui répond l'autre, que le coup de main a vite réveillé. « Ce n'est pas moi qui t'ai réveillé; c'est une 15 feuille qui tombe des branches au-dessus de toi. Referme l'œil et ne parle plus; je veux dormir. »

Et les deux géants se rendorment.[6]

[1] sentir, to feel. [2] (deuxième), second. [3] feuille, leaf.
[4] (troisième), third. [5] encore, again, yet. [6] (se rendormir), to go to sleep again.

XXV

What is the threat of the second giant?
What does the tailor do to the first giant?
What does the first giant think is the trouble?

Alors, le petit tailleur, toujours caché dans les feuilles au-dessus de ses ennemis, laisse tomber sur la tête de l'autre géant une pierre, puis deux, puis trois.

5 « Encore ! mon petit, » s'écrie celui-ci, « que me fais-tu à la tête ? Si tu ne peux pas dormir, toi, tu devrais laisser dormir les autres. Si tu me donnes encore un seul petit coup, je t'en ferai sentir dix, et vite ! »

10 « Ah ! toi, c'est ce que tu crois, vieux dormeur ! » lui répond le premier géant. « Ce n'est pas moi qui t'ai donné un coup; ce doit être ta feuille ! »

Ils sont un peu fâchés, tous les deux; mais,
15 comme ils sont trop fatigués, ils referment les yeux et se rendorment.

Le petit tailleur, alors, prend sa plus grosse pierre et la jette de toutes ses forces sur le nez [1] du premier dormeur.

20 « Ah ! ah ! c'est trop fort,[2] ça ! » s'écrie

---

[1] **nez,** nose. [2] **fort,** strong; **c'est trop fort,** that's too much !

38

celui-ci, en se mettant vite sur ses pieds. « Vas-
tu me dire encore que ce n'est pas toi ? Je te
connais, et par le nez du roi ! je vais te faire
sentir un de mes plus beaux coups. Le voilà ! »

Et le géant tombe sur son camarade endormi 5
et lui donne un énorme coup sur le nez. Son
camarade, réveillé, lui rend [1] le coup par un
autre où il met toutes ses forces.

XXVI

What weapons do the giants use ?
What effect has the noise of the strife ?
What would the tailor have done, had they taken his
    tree ?

Avec cela, ils entrent tous les deux dans une
terrible rage.* Un coup suit l'autre.   10

Enfin, ils prennent les arbres pour s'en faire
des bâtons [2] et se rendent des coups si formi-
dables l'un à l'autre que tous deux tombent
morts [3] à terre.

Le bruit de leurs cris* et de leurs coups 15
chasse les oiseaux des arbres et les bêtes de la
forêt. Il arrive même jusqu'au [4] palais du roi,
qui fait venir toute son armée. Et les cent

---

[1] **rendre,** to give back, return.   [2] **bâton,** stick, club.
[3] **(mort)** *p.p.* **mourir,** dead.   [4] **jusqu'à,** as far as.

hommes qui attendent dans la forêt en ont
grand'peur; ils croient tous que leur général
est mort.

Mais le petit tailleur saute vite de son arbre:
5 « Pardieu ! » se dit-il, « ils sont bien morts,
tous les deux. S'ils avaient pris l'arbre où
j'étais caché pour s'en faire un bâton, j'aurais
sauté dans un autre, comme un oiseau. Mais
bah ! c'est fini. Je n'ai plus rien à faire. »

10 Alors, il va trouver ses cent hommes.

« Là ! » leur dit-il, « voilà qui est fait. Mes
deux géants sont bien morts. Quelle bataille !
Mais que peuvent-ils faire contre un homme
comme moi ? »

15 « Ne vous ont-ils pas fait de mal ? » lui de-
mandent-ils.

« Bon ! » répond le petit tailleur, « si ce n'est
que cela qui vous a fait peur; ils n'ont pas fait
de mal même à un seul de mes cheveux. »[1]

[1] cheveu(x), hair.

XXVII

How are the men convinced of the tailor's story ?
How is the King convinced of his success ?
What new test of valor does the King demand ?

Les hommes ne peuvent pas le croire. Alors
le petit tailleur se met à leur tête et les conduit
dans la forêt, où ils trouvent les deux géants
morts sur la terre. Ils se regardent un moment
les uns les autres, en se disant de l'œil: 5

« Pardieu ! quelle bataille ! quel héros que [1]
notre général en chef ! »

Puis le petit tailleur coupe les deux têtes des
géants, les attache* par les cheveux à un bâton,
et les donne à porter à ses hommes. Ayant fini 10
son travail, il sort de la forêt, suivi par les cent
hommes.

Le roi, qui s'est mis à la tête de son armée
et qui s'est avancé jusqu'à la forêt, y reçoit le
petit tailleur en grand honneur. Mais il re- 15
grette d'avoir fait sa promesse et, quand le
petit tailleur lui demande la main de sa fille,
des richesses et sa part du pays, il lui répond:

« Avant de te donner la main de ma fille et 20

---

[1] **que:** disregard this use of the conjunction.

41

sa part de mon pays, tu dois te soumettre[1] à
encore une[2] épreuve de ta valeur. »[3]

« Laquelle ? » demande le petit tailleur.

« Dans une autre de mes forêts, » répond le
5 roi, « il y a une licorne[4] qui fait du mal à tous
ceux qui vivent dans les villages près de la forêt
et qui passent sur les routes. J'en ai besoin pour
ma ménagerie.* Va chercher cette bête et ra-
mène-la[5] encore vivante,[6] si tu veux toujours
10 recevoir ma fille en mariage. »

« Une licorne, ce n'est pas plus que ça ! » dit
le petit tailleur, en tuant une mouche sur sa
main. « SEPT–D'UN–COUP, c'est moi ! »

XXVIII

What preparations does the tailor make ?
How does the tailor capture the unicorn ?
What does he do with the unicorn ?

Il prend deux cordes[7] et une voiture,[8] pour
15 ramener la licorne vivante quand il l'aura prise;
il prend aussi ses cent hommes, non pas pour
l'aider à prendre la licorne, mais pour l'aider

---

[1] (**soumettre**), to submit.   [2] (**encore un**), another.   [3] **valeur,** worth, valor.   [4] LICORNE, unicorn.   [5] **ramener,** to
bring back.   [6] (**vivant**) *pres. part.* **vivre,** living, alive.   [7] **corde,**
(cord), rope.   [8] **voiture,** cart, wagon.

seulement [1] à la trouver dans la forêt et à la mettre dans la voiture.

Arrivé dans la forêt, le petit tailleur n'a pas besoin de chercher la licorne, parce qu'elle court sur lui quand elle le voit venir, pour le tuer de 5 sa terrible corne.[2]

« Pas si vite, ma belle, pas si vite ! » dit le petit tailleur, « n'allons pas si vite ! »

Et il s'arrête contre le tronc d'un arbre et attend le moment où la licorne arrive en face 10 de [3] lui, puis, — hop ! il saute vite derrière l'arbre.

La licorne court avec une si grande vitesse [4] qu'elle ne peut pas s'arrêter ; sa terrible corne entre avec force dans le tronc de l'arbre et y 15 reste prise. En un moment, le petit tailleur sort de derrière son arbre et attache les quatre pieds de la bête avec ses deux cordes.

« Ah ! je tiens l'oiseau ! » s'écrie-t-il, en mettant la licorne en liberté à l'aide de son bâton. 20

La licorne, se sentant la corne libre encore, veut courir dans la forêt ; mais, comme elle a les quatre pieds bien attachés, elle tombe à terre et ne peut pas se relever.

Alors le petit tailleur va retrouver ses hommes 25 et leur dit :

---

[1] (seulement), only. [2] CORNE, horn (*of animal*). [3] **en face de,** in front of. [4] (vitesse), speed.

43

« Amenez la voiture; la licorne est prise. »

On met la licorne dans la voiture et le petit tailleur la ramène vivante au roi, qui la met dans sa ménagerie.

XXIX

What is the third test which the King demands ?
Where does the tailor find the wild boar ?
How large are the windows of the little house ?

5 Mais le roi ne veut pas encore tenir sa promesse; il soumet le petit tailleur à une troisième épreuve de sa valeur avant de lui donner sa fille en mariage. Celle-là, c'est de prendre un énorme sanglier [1] qui fait beaucoup de mal 10 dans une troisième de ses forêts.

« Comme Votre Majesté le voudra, » répond le petit tailleur, « les sangliers, ce sont comme de petits enfants. »

Le roi lui donne les cent hommes; mais, 15 comme pour la licorne, comme pour les deux géants, le petit tailleur ne les laisse pas entrer dans la forêt. Il y entre seul, ce qui leur fait plaisir — ils connaissent le sanglier, ces hommes-là !

20 Le tailleur commence par regarder tout au-

---

[1] SANGLIER, wild boar.

tour de lui pour mieux voir où il est. En peu
de temps il trouve la caverne où se cache le
sanglier. Tout près de cette caverne il y a une
petite maison dont les fenêtres sont très
étroites.[1] Elles sont si étroites que même le 5
petit tailleur ne peut pas y passer sans difficulté.* Une bonne porte [2] se trouve en face
des fenêtres.

« Bon ! » dit le tailleur, « voici ce dont j'ai
besoin. » 10

XXX

How does the tailor put the boar into a rage ?
What does the boar do ?
How does the tailor make the boar prisoner ?

Et, se mettant devant la porte de la maison,
il commence à jeter des pierres dans la caverne
où se tient toujours le sanglier.

Il les jette de toutes ses forces; enfin, une
grosse pierre arrive jusqu'au sanglier et le ré- 15
veille. Il se lève et sort de la caverne. Alors
le petit tailleur voit que son ennemi est énorme,
qu'il a bien quatre pieds de haut.[3]

---

[1] **étroit,** narrow. [2] **porte,** door. [3] **qu'il a bien quatre pieds
de haut,** that he is fully four feet high.

Mais tout cela ne fait pas peur au[1] brave petit homme, qui jette toujours des pierres, en faisant de grands cris en même temps pour mettre le sanglier en rage.

5　Le sanglier regarde autour de lui. Ses petits yeux ressemblent à des feux vivants. Puis, voyant le tailleur qui se tient toujours en face de lui, il baisse la tête et court sur lui avec une vitesse encore plus grande que celle de la licorne.

10　Le petit tailleur court vite dans la maison et, au moment où le sanglier y entre par la porte, le petit tailleur en sort par une fenêtre. Le sanglier essaie de le suivre, mais la fenêtre est trop étroite.

15　Pendant que la bête essaie de passer par la fenêtre, le petit tailleur court autour de la maison et revient fermer la porte. Voilà le sanglier bien pris !

Alors, le petit tailleur conduit ses cent 20 hommes à la maison et leur fait voir son prisonnier.[2]

« Voyez votre terrible sanglier, » leur dit-il. « Ce n'est rien de les prendre, vous savez, les sangliers. On les fait prisonniers comme les 25 petits oiseaux. »

[1] **faire peur à,** to frighten.　[2] **prisonnier,** prisoner, captive.

XXXI

What action does the King now take?
What does King Sept-d'un-Coup do at times?
Why not tell where his kingdom is?

Enfin, le roi doit tenir sa promesse, même s'il la regrette toujours. Et il donne sa fille au brave petit tailleur, avec sa part du pays.

Le mariage se fait [1] peu après au palais du roi. Tous ceux qui vivent dans le pays viennent au 5 palais voir leur héros et lui rendre honneur. Et quand le vieux roi meurt [2] enfin, on fait du petit tailleur le roi de tout le pays.

De temps en temps, quand le roi Sept-d'un-Coup est tout seul dans le jardin de son palais, 10 il chante une vieille chanson où il est question d'un pauvre petit tailleur à qui un vieux roi donne sa fille en mariage. Il chante cette chanson seulement quand il est seul, tout seul.

Je sais où se trouve ce beau pays; Sept-d'un- 15 Coup en est toujours le roi. C'est un pays sans guerres. Mais je ne vais pas vous dire où il se trouve, parce que tout le monde [3] voudrait y aller.

---

[1] **Le mariage se fait,** The marriage takes place.
[2] (meurt) *pres. ind.* **mourir,** dies.   [3] **tout le monde,** everyone, everybody.

LIST OF IDIOMS

Numbers following the idiomatic expressions refer to the page and line in the text where the expression first occurs, e.g. **2,** 14 = page 2, line 14.

aller: s'en aller **6,** 2

avoir: avoir peur **13,** 3
      avoir besoin **34,** 17
      avoir quatre pieds de haut **45,** 18

connaître: connaître comme ma poche **34,** 18

contre: se fâcher contre **38,** 8

dessus: au-dessus de **36,** 18

deux: (tous) les deux **18,** 7

Dieu: mon Dieu ! **5,** 14

droit: tout droit devant (lui) **26,** 7

encore: encore un **42,** 2

et: et . . . et **18,** 6

face: en face de **43,** 11

faire: faire plaisir à **1,** 14
      faire attention **6,** 6
      faire savoir **8,** 18
      faire voir **13,** 11
      faire peur à **46,** 1
      se faire (*to take place*) **47,** 4

feu: mettre le feu à **33,** 21

finir: en finir avec **24,** 17

force: de toutes ses forces **2,** 4

fort: c'est trop fort ! **38,** 20

guerre: en guerre **28,** 2

ici: par ici **3,** 11

jusque: jusqu'à **39,** 17

monde: tout le monde **47,** 18

par: par jour **31,** 11

pendant: pendant que **7,** 18

point: point du jour **25,** 1

remettre: se remettre à **6,** 15
      se remettre en route **18,** 3

      se remettre au lit **24,** 18

route: en route **13,** 10; **17,** 24

savoir: savoir que dire (faire) **15,** 17

temps: de temps en temps **36,** 5

terre: à terre **18,** 16

tout: du tout **18,** 10
      tout en + *pres. part.* **29,** 5

trouver: se trouver **15,** 2

venir: venir de + *inf.* **9,** 6

Aucassin et Nicolette

Retold and Edited after the Modern
French Version of
ALEXANDRE BIDA

By

OTTO F. BOND
The University of Chicago

INTRODUCING 214 NEW WORDS
AND 47 IDIOMS

BOOK TWO

D. C. HEATH AND COMPANY
BOSTON

« PRENDS GARDE DES HOMMES QUI TE CHERCHENT
DANS LA RUE. »

ENTRE NOUS...

— Well, you have finished with *Sept-d'un-Coup*, evidently. How did it go?

— Not so bad. The handicap you gave me helped a lot.

— Yes, we gave you a good start. But the *Valiant Little Tailor* was not a primer, for all that, and you can be satisfied with the beginning made in reading French. It is to be hoped that you mastered the *new* words used in the story; we shall have to use many of them through the Series, and mastery of them *now* would help with Book Two.

— Those words that I thought I knew fooled me; I had to look up some of them several times. They certainly have a lot of uses and meanings!

— We rather thought that they would get out of control at times — fifty per cent of the running text, you know — so we put them with their meanings in the end-vocabulary, along with the irregular verb-forms, for good measure.

— Yes, I noticed that ... good idea! The meanest words are the little ones, and irregular verb forms! Do you think that I can read Book Two as easily?

— Another handicap, eh? Well, it will be something like this: (1) a *total* vocabulary * of 500 words, 93 per cent of which are "basic" in value; (2) of the 500 words, a *known* vocabulary of 286 words already introduced in Book One (inclusive of initial word stock); (3) a *new* vocabulary of 214 words, only 63 % of which (136 words) are non-recognizable; and (4) an average density of one *new* word per 43 words of running text.

— When I finish Book II, how many words and idioms shall I know, all together?

* Exclusive of irregular verb forms.

— You will know 584 words and 88 idioms.

— Any changes in the grammar?

— Yes. The story will bring in the subjunctive. The forms offer some difficulty in recognition, and the sentences are longer.

— I imagine! And the story?

— A stirring tale of constant love and knightly adventure in Old Provence, eight hundred years ago: *Aucassin et Nicolette*. Like a medieval miniature, it records customs and manners that have long disappeared from the manuscript of life, and yet it preserves something eternally true and human. As a *chante-fable*, it alternated prose and verse, the latter to be sung to a musical accompaniment. You can note this alternation by means of the division that we have made in the chapters: the second part represents the verse passage, which either summarizes or extends the story told in the first part, or prose passage. Furthermore, we have tried to leave enough of the quaint phraseology of the original to persuade you of its beauty and charm, which sometime you may come to know at first hand.*

NOTE TO THE READER

New words and expressions, on first occurrence in the text, are annotated and explained at the bottom of the page, unless cognate. Cognates, dependable in the given context, bear an asterisk, and are omitted from the end-vocabulary. Derivatives and compounds of words already introduced or known, if not cognate, are given in parentheses at the bottom of the page, and explained. Words set in small capitals are outside of the basic vocabulary.

* For a modern French version, see the edition by A. Bida, Paris, 1878, or the reprint of it by E. B. Williams, Crofts, New York, 1933.

AUCASSIN ET NICOLETTE

I

In what plight is Count Garin de Beaucaire?
What is Aucassin unwilling to do?
Who is Nicolette?
What answer does Aucassin make to his father's pro-
   posal?

Qui veut écouter [1] en ces jours-ci l'histoire [2] que j'ai reçue d'un pauvre prisonnier qui passait toute sa vie [3] en prison ? *

C'est l'histoire charmante [4] de deux enfants, d'Aucassin et de Nicolette. Vous y verrez comme 5 l'amour [5] de la belle Nicolette fait souffrir [6] celui qui l'aime [7] plus que la vie.

Tous ceux qui ne sont pas heureux, et ceux qui sentent trop comme la vie est triste,[8] ou que l'amour fait trop souffrir, retrouveront du plaisir dans la 10 vie, s'ils veulent bien écouter cette histoire, si douce [9] est elle.

*   *   *

Le comte [10] Bougars de Valence [11] fait au comte Garin de Beaucaire [12] une guerre si terrible qu'il ne

---

[1] **écouter,** to listen (to).   [2] **histoire,** story.   [3] **(vie),** life.
[4] **charmant,** charming.   [5] **(amour),** love.   [6] SOUFFRIR, to suffer.   [7] **aimer,** to love.   [8] **triste,** sad.   [9] **douce** (*m.* **doux**), sweet, gentle, soft.   [10] COMTE, Count.   [11] Valence is on the Rhone river, halfway between Lyons and Avignon.   [12] Beaucaire is also on the Rhone, between Avignon and Arles.

reste pas un seul jour sans venir aux portes et aux murs [1] de Beaucaire, avec toute une armée de chevaliers [2] et d'hommes à pied. [3]

Il brûle [4] les terres du comte Garin et lui tue ses
5 hommes et ses chevaliers. Il fait tout ce qu'il peut, mais il ne peut pas entrer dans les murs de Beaucaire; ils sont trop hauts et trop solides,* et les chevaliers et les hommes à pied du comte Garin sont très courageux.[5] Il ne peut pas prendre les murs et
10 le château de son ennemi.

Le comte Garin est très courageux, mais il est vieux et faible [6]; il a fait son temps.[7] Il est bien triste; pour lui, la vie n'est plus douce.

Un seul enfant lui reste, qu'il aime comme la vie.
15 C'est le jeune [8] homme dont je vais vous dire l'histoire. Il s'appelle [9] Aucassin.

Aucassin est beau et grand; il est fort et beau de corps [10] et de bras.[11] Il a les cheveux blonds,* les yeux bleus, la figure [12] belle, et le nez haut dans la
20 figure. Tous ceux qui le connaissent parlent de sa beauté * et de sa force; ils le trouvent charmant, et ils l'aiment.

Et le jeune homme a aussi toutes les bonnes qualités *; mais l'amour, qui peut tout faire, le
25 tient en son pouvoir.[13] Pour cela, Aucassin ne veut

---

[1] **mur,** wall.   [2] CHEVALIER, knight.   [3] **à pied,** on foot.
[4] **brûler,** to burn.   [5] **(courageux),** courageous, brave.   [6] **faible,** weak, feeble.   [7] **il a fait son temps,** he has lived his life.
[8] **jeune,** young.   [9] **appeler,** to call; **s'appeler,** be named.
[10] **corps,** body.   [11] **bras,** arm.   [12] **figure,** face.   [13] **(pouvoir),** n. power.

2

ni [1] être chevalier, ni prendre les armes,* ni aller aux tournois,[2] ni rien faire de ce qu'il doit. Alors, son père [3] lui dit:

« Fils,[4] tu es jeune et bien fort; prends tes armes, monte à cheval,[5] défends * ta terre et viens 5 aider tes hommes sur les murs. Le comte Bougars brûle tes villages et veut te mettre en son pouvoir. Je suis vieux et faible de corps et de bras; je ne peux plus ni aller aux tournois, ni aller à la bataille. Sois courageux comme tes hommes; s'ils te voient venir 10 à leur aide, ils défendront mieux leurs corps et leurs maisons, ta terre et la mienne. »

« Père, » dit Aucassin, « que dites-vous là? Je veux que Dieu ne me donne rien de ce que je lui demande, si je deviens [6] chevalier, si je monte à 15 cheval, et si je vais à la bataille, où je pourrais donner et recevoir des coups, avant que [7] vous m'ayez donné Nicolette, ma douce amie,[8] que tant [9] j'aime. »

« Fils, » dit le père, « on ne peut pas faire cela. Laisse là celle qu'on appelle Nicolette. C'est une 20 prisonnière qu'on a ramenée de loin, de très loin. Le vicomte [10] de cette ville [11] l'a prise dans le pays des Sarrasins [12] et l'a ramenée ici. Il l'a reçue dans sa maison et il l'aime comme sa propre [13] fille. Un de ces jours, il lui donnera un jeune homme de la ville en 25

[1] **ne . . . ni . . . ni,** neither ; . . . nor.   [2] TOURNOI, tournament.
[3] **père,** father.   [4] **fils,** son.   [5] **à cheval,** on horse; **monter à cheval,** mount one's horse.   [6] **devenir,** to become.
[7] **avant que,** before.   [8] (**ami**), friend.   [9] **tant,** so, so much, so many.   [10] VICOMTE, viscount.   [11] **ville,** city.   [12] SARRASIN, Saracen.   [13] **propre,** own.

mariage. Elle n'est pas pour toi, mon fils. Si tu
veux prendre femme,[1] je te donnerai la fille d'un
roi ou d'un comte. »

  « Pardieu ! père, » répond Aucassin, « y a-t-il en
5 ce monde un rang [2] si haut qu'il ne soit pas digne [3]
de Nicolette, ma très douce amie ? Si elle devenait
reine [4] de France, ou d'Angleterre,[5] ce serait toujours assez peu pour elle, tant elle est belle et noble *
et bonne. La propre fille du roi d'Angleterre, ni la
10 reine ne sont si dignes de leur rang que ma Nicolette,
tant elle a de beauté et de bonnes qualités. »

*   *   *

  Aucassin est fils du noble comte Garin de Beaucaire, qui essaie de lui faire oublier [6] son amour pour
la blonde Nicolette.

15   « Fils, » dit le père, « que veux-tu ? Tu as raison [7];
Nicolette est bonne et belle, mais elle est venue du
pays des Sarrasins et n'est pas digne de toi. Puisque [8] tu veux prendre femme, prends donc [9] une
fille de haut rang. »

20   « Père, » répond Aucassin, « je n'en veux pas.
Nicolette est digne de tout rang, même de celui de la
reine d'Angleterre, tant elle est noble et belle et
tant elle a de bonnes qualités. Il est certain que
l'amour d'elle me tiendra toujours en son pouvoir. »

---

[1] **prendre femme,** to take a wife, wed.   [2] **rang,** rank.
[3] **digne,** worthy. [4] **reine,** queen. [5] **Angleterre,** England.
[6] **oublier,** to forget. [7] **tu as raison,** you are right. [8] **puisque,**
since.   [9] **donc,** therefore, indeed, so.

II

What threat does Count Garin make to the Viscount?
What promise does the Count receive?
How is the promise carried out?
What is the burden of Nicolette's lament?

Quand le comte Garin de Beaucaire voit qu'il ne
peut pas faire oublier à son fils Aucassin son amour
pour la belle Nicolette, il va trouver le vicomte de la
ville et lui parle ainsi [1]:

« Sire [2] vicomte, faites partir de mes terres cette 5
fille qu'on appelle Nicolette. Maudite [3] soit la terre
d'où elle est venue dans ce pays ! Et maudit soit
son père ! parce que l'amour d'elle me fait perdre
mon fils Aucassin, qui ne veut ni devenir chevalier,
ni prendre les armes, ni venir en aide à ses hommes, ni 10
rien faire de ce qu'il doit. Et sachez bien que si je
puis mettre la main sur elle, je la ferai brûler vive,[4]
et vous-même pourrez avoir grand'peur pour vous. »

« Sire, » dit le vicomte, « vous entendre [5] parler
ainsi me rend bien triste. Je regrette beaucoup que 15
votre fils Aucassin aille et vienne, et cherche à
parler à Nicolette. J'ai trouvé cette fille dans le
pays des Sarrasins et l'ai reçue dans ma maison
comme ma propre fille. Je lui aurais donné, un de
ces jours, un jeune homme de Beaucaire en mariage. 20
Donc, elle n'est pas pour votre fils. Mais puisque

[1] **ainsi,** thus.   [2] **sire,** sir, lord.   [3] **(maudit)** *p.p.* **maudire,**
cursed.   [4] **vive** (*m.* **vif**), alive, lively, spirited.   [5] **entendre.**
to hear.

5

c'est votre bon plaisir, je la ferai partir pour un pays si lointain [1] que jamais [2] votre fils Aucassin ne la verra de ses yeux. Ainsi, l'amour d'elle ne pourra plus le tenir en son pouvoir. »

5 « Ce que je vous entends dire là, me fait grand plaisir, » lui répond le comte Garin. « Mais prenez garde,[3] sire vicomte; grand mal pourrait vous en arriver. »

Le noble comte Garin rentre [4] dans son château.

10 Le vicomte est très riche; il a beaucoup d'hommes et de terres, et un beau palais qui donne sur [5] un jardin. Il y fait enfermer [6] Nicolette dans une petite chambre au haut du palais, et il met près d'elle une vieille femme pour la garder. Il y fait apporter 15 aussi du pain, de la viande,[7] de l'eau et du vin,[8] et tout ce dont elles peuvent avoir besoin. Puis, il ferme la porte de la chambre; il la ferme à clef,[9] pour qu'on [10] ne puisse y entrer ni en sortir. Il ne laisse ouverte qu'une seule petite fenêtre étroite qui 20 donne sur le jardin, par où vient un peu d'air pur.*

*   *   *

On a donc enfermé Nicolette dans une petite chambre au haut du palais; on lui a donné une

---

[1] (lointain), distant, far away.   [2] ne ... jamais, never. [3] prendre garde, to take care, beware.   [4] (rentrer), to return, go back.   [5] donner sur, to face (look out) upon.   [6] (enfermer), to shut up (in), lock up (*of persons*).   [7] viande, meat.   [8] vin, wine.   [9] clef, key; fermer à clef, to close and lock.   [10] pour que, in order that, so that.

vieille femme pour lui tenir compagnie,[1] et on y a mis du pain, de la viande, de l'eau et du vin, et tout ce dont elles peuvent avoir besoin. Puis, on a fermé la porte à clef et on les a laissées toutes seules. Mais tout cela n'est pas pour le plaisir de Nicolette. 5

Elle vient près de la petite fenêtre et regarde dans le jardin. Quand elle y voit les belles fleurs [2] dans l'herbe et entend les oiseaux qui s'appellent les uns les autres dans les branches des arbres, alors la blonde Nicolette se sent bien seule et bien triste. 10

« Ah ! sire Dieu, pourquoi [3] suis-je ici ? Aucassin, mon très cher [4] ami, vous savez bien que je vous aime; et je sais bien aussi que vous m'aimez. Cher ami, c'est donc pour votre amour que l'on m'a enfermée dans cette chambre, où je mène [5] une si triste vie. 15 Les fleurs et les oiseaux sont libres, et libre aussi est l'air pur qui entre par ma fenêtre; et moi, je suis seule et prisonnière et ne puis plus vous entendre parler ni voir votre chère figure. Mais, par Dieu, le Fils de Marie, je n'y resterai pas longtemps.[6] Il est 20 certain que je sortirai de cette chambre, s'il se peut faire. »[7]

[1] (compagnie), company. [2] fleur, flower. [3] pourquoi, why. [4] cher (*f.* chère), dear. [5] (mener), to lead. [6] (longtemps), *adv.* long, a long time. [7] s'il se peut faire, if it can be done.

III

How does Aucassin appeal to the Viscount?
Who are those who go into Paradise?
Who are those who descend into Hell?
What effect has the Viscount's reply upon Aucassin?

Nicolette est en prison, comme vous l'avez entendu; elle est enfermée dans une petite chambre au haut du palais du vicomte, et la porte en est fermée à clef, pour qu'on ne puisse y entrer ni en
5 sortir.

Le bruit [1] va dans tout le pays que Nicolette est perdue. Les uns disent qu'elle s'en est allée du pays et qu'elle n'y reviendra jamais, les autres que le comte Garin de Beaucaire l'a fait mourir. [2] Si le
10 comte en est heureux, Aucassin ne l'est pas. Il va trouver le vicomte de la ville et lui parle ainsi:

« Sire vicomte, qu'avez-vous fait de Nicolette, ma très chère amie, celle que j'aime le plus au monde ? On dit qu'elle est partie pour ne jamais revenir, ou
15 que mon père l'a fait mourir. Je l'appelle toujours, mais elle ne me répond pas. Je ne pourrai vivre longtemps sans elle. Sachez bien que, si j'en meurs, [3] on vous fera brûler vif, vous et tous vos hommes; et ce sera bien, parce que vous m'aurez tué de vos
20 deux mains, en me prenant ce que j'aime le plus au monde. »

[1] (bruit), rumor.   [2] faire mourir, to kill.   [3] si j'en meurs, if I die because of it.

8

« Beau sire, » répond le vicomte, « laissez cela.
Nicolette est une prisonnière que j'ai ramenée du
pays des Sarrasins. Je l'ai reçue dans ma maison
comme ma propre fille. Je lui aurais donné un de
ces jours un jeune homme riche de la ville en mariage. 5
Elle n'est pas pour vous; c'est la fille d'un roi ou
d'un comte que vous devriez prendre. Et si vous
vouliez prendre Nicolette de force, sachez que vous
brûleriez en enfer [1] pour toujours et que vous n'en-
treriez jamais en paradis. » [2]   10

« Qu'ai-je à faire en paradis ? » répond Aucassin.
« Je ne veux pas y entrer; je ne veux que Nicolette,
ma très douce amie, que tant j'aime. Parce que c'est
en paradis que vont les vieux qui meurent sans
avoir connu la vie ou qui ont mené une vie triste et 15
sans plaisir; ceux qui n'ont qu'un pied ou qu'un
bras, ou qui ont le corps mal formé,* ou qui ne
peuvent ni marcher ni courir; et puis, les pauvres
qui meurent de faim,[3] de froid [4] et de misère.[5]

« Ceux-là vont en paradis; je n'ai rien à faire avec 20
eux. Mais c'est en enfer que je veux aller; parce
que c'est en enfer que vont les beaux chevaliers qui
sont morts aux tournois et aux belles guerres, et les
gentilshommes.[6] Avec ceux-là je veux bien aller.
Là vont aussi les belles dames [7] qui se trouvent 25
prises dans le pouvoir de l'amour, les riches avec
tout leur argent, et les jongleurs [8] et les rois de ce

[1] ENFER, hell.   [2] PARADIS, paradise.   [3] **faim,** hunger.
[4] **froid,** cold.   [5] MISÈRE, misery, poverty, distress.   [6] **gentilhomme,** gentleman.   [7] **dame,** lady.   [8] JONGLEUR, juggler,
minstrel.

monde. Avec ceux-là je veux bien aller, si seulement
Nicolette, ma très douce amie, est avec moi. »

« Sire, vous avez beau parler, »[1] dit le vicomte.
« Jamais vous ne reverrez celle qu'on appelle Nico-
5 lette. Et si vous lui parliez, on pourrait en parler à
votre père, et il nous brûlerait vifs, elle et moi, et
vous-même pourriez avoir grand'peur pour vous. »

« Tout cela me rend bien triste, » dit Aucassin.
Et il sort du palais du vicomte et rentre au château.

* * *

10 Sans plus parler, Aucassin sort du palais. Il a
l'air [2] bien triste. Rien de ce qu'il voit ou de ce qu'il
entend ne lui fait plaisir, ni les belles fleurs du jardin,
ni les oiseaux qui s'appellent dans les arbres, ni les
belles dames et les beaux gentilshommes qui lui
15 parlent en passant. Il ne voit pas les pauvres,
souffrant du froid et de la misère, qui lui demandent
quelques sous pour l'amour de Dieu. Il ne voit pas,
non plus,[3] des jongleurs qui se trouvent devant la
porte du château. Pour lui, la vie n'est plus douce
20 et charmante.

Il rentre lentement [4] dans le château ; et lentement
il monte à sa chambre, où il s'enferme tout seul, pour
penser à [5] ce qu'il doit faire et à son amie qu'il a
perdue. Quelle douleur ! [6] Quels regrets ! * On
25 croirait qu'il n'en finirait jamais !

---

[1] **vous avez beau parler,** you speak in vain. [2] **avoir l'air
(de),** to seem, appear (to). [3] **non plus,** either. [4] **lent,** slow;
lentement, slowly. [5] **penser (à),** to think (of, about). [6] **douleur,** anguish, grief, pain.

« O Nicolette, ô mon amour, à la figure douce et aux beaux yeux; toi qui es plus pure que le jour, et qui parles et vas et viens si doucement, pour l'amour de toi je souffre de tant de douleur que jamais je n'en sortirai vivant. » 5

IV

While Aucassin is grieving, what is happening outside the castle?
How does his father try to arouse him to duty?
What proposal does Aucassin make?
In what manner does he ride forth to battle?

Pendant qu'Aucassin est ainsi dans sa chambre à pleurer [1] sur son amie Nicolette, le comte Bougars de Valence pense à sa guerre qui ne va pas finir.

Enfin il fait venir ses hommes de cheval et de pied, et se met en route pour le château de Beaucaire. 10

Le bruit de sa venue [2] s'en va par tout le pays, et les chevaliers et les hommes du comte Garin prennent leurs armes et courent aux murs et aux portes de la ville pour défendre le château. Quelques-uns montent au haut des murs et jettent des pierres et 15 des bâtons sur la tête de leurs ennemis; d'autres se mettent devant les portes de la ville pour les garder; et d'autres encore vont au-devant de [3] l'ennemi.

Au moment où la bataille est le plus vive, le comte

[1] pleurer, weep, bemoan.   [2] (venue), coming, approach.
[3] aller au-devant de, to go to meet.

Garin vient à la chambre où Aucassin pleure pour
la perte [1] de Nicolette, sa très douce amie, que tant
il aime.

« Ha ! fils, » lui dit-il, « es-tu assez pris de douleur
5 et assez faible pour voir qu'on te prend ainsi ton
château, le plus beau et le plus fort de tous ! Sache
bien, si tu en souffres la perte, que tu ne seras plus
mon fils, et que tout ce que j'ai en mon pouvoir ne
sera jamais à toi.[2]

10 « Fils, va, prends tes armes, monte à cheval et
défends ce qui est à toi. Tu as beau regretter ici ce
qui est perdu. Aide tes hommes et va au-devant de
tes ennemis. Tu n'as pas besoin de frapper [3] un
homme ou qu'un autre te frappe. Si nos hommes te
15 voient avec eux, ils défendront mieux leurs maisons
et leurs corps, ta terre et la mienne. Tu es assez
grand et fort, va donc, c'est ton devoir. » [4]

« Père, » répond Aucassin, « que dites-vous là ?
Dieu m'en garde,[5] si je deviens chevalier, si je monte
20 à cheval et si je vais à la bataille, où je pourrai donner
et recevoir des coups, avant que vous m'ayez donné
Nicolette, ma très douce amie, que tant j'aime. »

« Fils, » dit le père, « cela ne peut se faire. J'aimerais mieux [6] perdre tout ce que j'ai que de te la
25 donner pour femme. »

Puis, il s'en va.

Quand Aucassin le voit s'en aller, il le rappelle:

___

[1] (perte), loss.   [2] **ne sera jamais à toi,** will never be yours.
[3] **frapper,** strike, hit.   [4] (devoir), *n.* duty.   [5] **Dieu m'en
garde,** God forbid.   [6] **aimer mieux,** to prefer.

« Père, revenez; je vais vous faire une proposition. »[1]

« Laquelle ? » dit le père.

« Je prendrai les armes et j'irai à la bataille, »
répond Aucassin, « à condition * que, si Dieu me 5
ramène vivant, vous me laisserez voir Nicolette, ma
douce amie, le temps de lui parler et de lui donner
un seul baiser. »[2]

« Je t'en fais la promesse, » lui dit le père.

* * *

Aucassin, sur cette promesse, est si heureux qu'il 10
oublie vite sa douleur et ses regrets; il est certain
qu'il ne perdrait pas ce baiser pour mille [3] francs
d'argent pur.

Il ne perd pas un moment.

L'épée [4] à sa ceinture, le casque [5] sur la tête, il 15
monte sur son beau cheval de bataille. Avec un
grand écu [6] qui lui couvre tout le corps et sa forte
lance * à la main, il est le plus beau chevalier qu'on
ait jamais vu.

Puis, il pense à son amie, la belle Nicolette, 20
pique son cheval,[7] et, la tête haute, la lance haute,
il s'en va à la bataille.

[1] PROPOSITION, proposal (proposition).   [2] **baiser,** *n. and v.*
kiss.   [3] **mille,** (a) thousand.   [4] **épée,** sword.   [5] CASQUE,
helmet.   [6] ÉCU, shield.   [7] **pique son cheval,** spurs his horse.

V

Why does Aucassin let himself be taken prisoner?
What is the result of his sudden decision to defend him-
self?
When the Count sees that he cannot make Aucassin
forget Nicolette, what does he do?
In his anguish, what scene does Aucassin recall?

Aucassin avance sur son beau cheval de bataille.
Dieu! Comme il porte bien ses armes! Comme il
est grand et fort, beau et bien fait!

Le cheval, courant à toute vitesse, le porte jusqu'au
5 milieu [1] de l'ennemi. Aucassin le laisse aller où et
comme il veut, et ne fait pas attention à ce qu'il
fait. Le jeune homme ne pense plus ni à donner ni à
recevoir des coups. Non, il n'y pense pas, mais il
rêve [2] tant à Nicolette, sa douce amie, qu'il oublie
10 pourquoi il est sorti de la porte de la ville et ce qu'il
vient faire au milieu de ses ennemis.

C'est ainsi que le jeune homme arrive au beau
milieu [3] de la bataille.

Mille hommes se battent [4] autour de lui, mais il
15 n'a pas l'air de les voir. Il rêve toujours, toujours.

Des hommes du comte Bougars jettent les mains
sur lui, [5] et le prennent et le font prisonnier. Ils lui

---

[1] **milieu,** middle, midst. [2] **rêver,** to dream. [3] **au beau
milieu,** right in the middle (midst). [4] **battre,** to beat; **se
battre,** fight. [5] **jettent les mains sur lui,** lay violent hands
on him.

prennent son écu et sa lance et le mènent sous un arbre, où ils commencent à discuter [1] comment [2] ils le feront mourir.

Alors seulement Aucassin les entend:

« Ha ! Dieu, » se dit-il, « voilà mes ennemis qui 5 me font prisonnier et qui discutent comment me faire mourir ! Et quand je serai mort, jamais je ne parlerai à Nicolette, ma douce amie, que tant j'aime ! J'aimerais mieux me battre que de mourir sans frapper un seul coup. Maudit soit le jour où j'oublie 10 la proposition que j'ai faite à mon père ! Dieu m'en garde, si je ne me défends pas en ce moment pour l'amour de mon amie ! »

Le jeune homme est grand et fort, le cheval qui le porte est vif. Aucassin met la main à son épée et 15 commence à frapper autour de lui. Il coupe têtes et nez, mains et bras, et court sur ses ennemis comme un sanglier qu'on a mis en rage. En peu de temps, il en a tué dix. Puis, il s'arrête et, l'épée encore à la main, revient à toute vitesse vers la porte de la 20 ville.

Le comte Bougars de Valence, ayant entendu dire qu'on allait mettre à mort son ennemi Aucassin, vient le chercher.

Aucassin le voit venir de loin; il lève son épée, 25 pique son cheval, court droit sur lui et le frappe sur son casque si fortement qu'il le lui met sur la figure. Le comte tombe à terre. Puis, Aucassin le prend, le fait prisonnier et le conduit à son père.

[1] **discuter**, to discuss.   [2] **comment**, how.

« Père, » dit Aucassin, « voici [1] votre ennemi qui vous a tant fait de mal. Cette guerre terrible, que jamais homme n'a pu finir, c'est bien finie ! »

« Mon beau fils, » lui dit son père, « tu t'es conduit
5 comme un vrai [2] chevalier ; tu as bien fait d'oublier ainsi tes douleurs et tes regrets pour cette fille qu'on appelle Nicolette. »

« Père, » répond Aucassin, « n'allez pas me parler ainsi, mais tenez votre promesse. »

10 « Ha ! quelle promesse, mon fils ? »

« Quoi ! père, l'avez-vous oubliée ? Pardieu ! moi, je ne veux pas l'oublier ; j'en rêve toujours. Ne m'avez-vous pas promis,[3] quand j'ai pris les armes et suis allé à la bataille, que, si Dieu me ramenait
15 vivant, vous me laisseriez voir Nicolette le temps de lui parler et de lui donner un seul baiser ? Me l'avez-vous promis ? Et je veux que vous teniez votre promesse. »

« Moi ! » dit le comte. « Dieu m'en garde, si je
20 tiens une promesse comme celle-là. Et si cette fille était là devant nous, je la ferais brûler vive, et vous-même pourriez avoir grand'peur. »

« Est-ce fini ? » dit Aucassin.

« Que Dieu m'aide, »[4] dit le père, « oui. »

25 « Ha ! » dit Aucassin, « que cela me rend triste ! Je me fâche de voir qu'un homme comme vous peut dire ce qui n'est pas vrai. Sire comte de Valence, je vous ai fait prisonnier ? »

[1] voici, here is (are). [2] vrai, true, real. [3] (promis) p.p. promettre, promised. [4] Que Dieu m'aide, May God help me.

« Oui, sire, certainement, » répond le comte.

« Donnez-moi votre main. »

« Sire, je le veux bien. » Et il met sa main dans celle d'Aucassin.

« Me promettez-vous, » dit Aucassin, « que tout 5 le temps que vous serez en vie, si vous trouvez moyen [1] de faire mal à mon père, à son corps ou à ses terres, vous le ferez toujours ? »

« Pour Dieu, sire, » répond le comte Bougars de Valence, « je ne sais que vous dire; j'attendais une autre 10 proposition que celle-là. Demandez-moi de l'argent, des chevaux, ou de ce que j'ai dans mon château; je vous donnerai tout ce que vous voudrez. »

« Hé ! sire comte, » dit Aucassin, « ne reconnaissez-vous [2] pas que vous êtes mon prisonnier ? » 15

« Sire, oui, je le reconnais. »

« Faites-moi donc cette promesse, ou je vais vous couper la tête à l'instant * même. » [3]

« Je vous promets, par le bon Dieu, ma main dans la vôtre, que je ferai tout ce que vous voudrez. »   20

Alors Aucassin fait monter le comte Bougars de Valence sur un cheval, le conduit jusqu'à ses hommes et lui donne la liberté.

*   *   *

Quand le comte Garin voit bien qu'il ne peut pas faire oublier Nicolette à son fils Aucassin, il le jette 25 dans une prison.

La prison est sous terre, dans une vieille tour [4]

[1] **moyen,** (the) means, (a) way.   [2] (**reconnaître**), to recognize.   [3] **à l'instant même,** at this very instant.   [4] **tour,** tower.

du château de Beaucaire; elle est sombre,[1] froide et bien solide. Au haut du mur, il y a une seule fenêtre, qui est très étroite et qui ne laisse pas entrer d'air pur.

5   Le jeune homme regarde autour de lui et cherche uu moyen do sortir de la tour, mais il ne peut pas en trouver. La porte et les murs sont très solides, et on a fermé la porte à clef. La seule fenêtre est trop petite pour laisser passer le corps d'Aucassin ou 10 même son bras.

Alors, se voyant dans cette misère, par l'ordre * de son père, il tombe au désespoir.[2] Dans sa sombre douleur, il pense même à se tuer, mais il n'en a pas le moyen. Enfin, il s'écrie:

15   « Nicolette, ô ma belle fleur, tu m'es plus douce que tous les plaisirs de ce monde, et même ceux du paradis.

« Un jour, devant la porte de la ville, j'ai vu un pauvre homme, venu de très loin, qui souffrait d'une 20 maladie [3] terrible. Dans son désespoir, il était parti de son pays pour venir à Beaucaire chercher quelqu'un qui pût le guérir.[4] Mais sa maladie était si terrible qu'on n'avait pas pu l'en guérir. Alors, on le ramenait dans son pays.

25   « Des hommes le portaient sur un lit. Le pauvre homme souffrait tant qu'il ne pouvait ni dire un mot, ni entendre ce qu'on lui disait, ni rien manger, ni rien boire. Il ressemblait bien à un homme mort.

---

[1] **sombre,** dark, gloomy, somber.   [2] **désespoir,** despair, desperation.   [3] **maladie,** disease (malady).   [4] **guérir,** to cure.

« A ce moment-là, tu passes près de son lit. Sans y penser, tu lèves les yeux et tu le regardes. Il voit la beauté de ta figure, la douceur de tes yeux, et comme tu es pure et noble. Il te regarde avec les yeux d'un mourant,[1] au désespoir. Et de tes beaux 5 yeux il reçoit encore la vie. Le voilà qui se lève vite du lit, se met sur ses pieds, et s'en va dans son pays !

« Ma Nicolette, c'est pour toi que je suis ici dans cette sombre prison, dans la misère et le désespoir; 10 et un de ces jours, si tu ne viens pas m'en guérir, cette maladie, dont je souffre tant, me fera mourir. Et ce sera pour toi, mon amie. »

VI

Of what is Nicolette thinking as she stands at her window?

How does she make her escape from the castle?

Where does she go?

What decision does she make?

Donc, on a mis Aucassin dans une prison sous terre, et Nicolette est enfermée dans une petite 15 chambre au haut du palais du vicomte.

C'est le temps de l'été,[2] au mois [3] de mai,[4] quand les jours sont longs * et les nuits douces et chaudes.[5]

---

[1] (mourant), dying person. [2] été, summer. [3] mois, month. [4] mai, May. [5] chaud, warm.

Nicolette se tient [1] près de sa fenêtre, qui donne sur le jardin du palais. Au-dessus des arbres elle voit la lune [2] — une vraie lune d'été — et elle peut entendre la chanson d'un oiseau au loin.[3] Comme elle
5 est douce, cette chanson ! et belle ! Comme il doit être bon d'être libre d'aller et de venir entre les branches des arbres et de monter dans l'air tranquille * de la nuit !

Elle pense à Aucassin, dont elle regrette tant la
10 perte. Elle rêve à d'autres jours et à d'autres nuits, quand elle a pu voir son ami et lui parler. Comme les jours sont longs, et les mois !

Puis, elle se met à penser au comte Garin de Beaucaire, qui est si cruel * et qui veut la faire
15 mourir; elle a grand'peur de lui et de ce qu'il pourrait faire.

Elle voit que la vieille femme qui lui tient toujours compagnie, dort sur son lit. Elle met une très belle robe * de drap de soie [4] qu'elle a, prend les draps [5]
20 de son lit et en fait une corde aussi longue qu'elle peut, l'attache à la fenêtre, et se laisse descendre très lentement dans le jardin. Puis, elle relève [6] le bout de sa robe d'une main et marche dans l'herbe le long du [7] jardin. La nuit est si tranquille qu'elle
25 peut entendre le bruit des feuilles sur les branches et de l'eau qui tombe dans la fontaine.*

Nicolette a les cheveux blonds, les yeux bleus et

---

[1] (se tenir), to stand. [2] lune, moon. [3] au loin, in the distance. [4] soie, silk; drap de soie, silk cloth. [5] (drap), sheet. ˙relever, to lift up. [7] le long de, along, the length of.

vifs, et la figure belle et délicate *; ses lèvres [1]
sont plus rouges que les roses * au mois de mai, et
ses dents [2] sont blanches [3] et petites. Et les fleurs
blanches sur lesquelles elle marche dans l'herbe,
sont moins [4] blanches que ses mains et ses pieds. 5

Elle vient à la porte de derrière,[5] l'ouvre lentement
et doucement, et sort dans les rues [6] de Beaucaire.

Elle marche tant qu'elle arrive à la tour où est
son ami.

Il y a des rochers [7] au pied de la vieille tour, et 10
elle se cache derrière l'un des rochers. Puis, elle
met la tête contre le mur de la tour. Par la petite
fenêtre haut dans le mur, elle entend Aucassin, qui
s'écrie dans sa grande douleur et regrette sa douce
amie, qu'il aime tant. Quand elle l'a assez écouté, 15
elle lui parle.

*   *   *

C'est le temps de l'été; la nuit est chaude et tranquille.

La belle Nicolette se cache derrière un rocher, au
pied de la tour où l'on a enfermé Aucassin, son ami, 20
par ordre du cruel comte Garin de Beaucaire.

Par une petite fenêtre étroite, elle parle à son ami;
moins blanche que ses dents est la lune au-dessus de
la vieille tour, moins rouges que ses lèvres sont les
roses du jardin.   25

Elle parle à Aucassin ainsi:

---

[1] **lèvre,** lip. [2] **dent,** tooth. [3] **blanche** (*m.* **blanc**), white.
[4] **moins,** less.   [5] **porte de derrière,** rear (*or* postern) gate.
[6] **rue,** street. [7] **rocher,** rock.

« Mon ami, vous qui êtes si noble, si brave et si beau, je ne peux pas vous cacher mes pensées.[1]

« Pourquoi êtes-vous au désespoir et pourquoi me regrettez-vous toujours, puisque je ne peux jamais 5 être à vous ? Parce que votre père est très fâché contre moi et veut me faire mourir.

« Je vais donc partir cette nuit même, et pour vous, m'en aller au loin, dans un autre pays. »

Elle ne parle plus, mais elle coupe quelques-uns 10 de ses longs cheveux et les jette dans la sombre prison où se trouve son ami. Aucassin les prend, les baise,[2] et les met sur son cœur[3]; puis, après un moment de silence, il se met à parler ainsi:

VII

How would Nicolette's departure cause Aucassin's death?
Why does Aucassin think his love greater than Nico-
    lette's?
What interruption breaks into their conversation?
How does the watchman on the tower warn Nicolette?

« Douce amie, vous ne vous en irez jamais, parce 15 que cela me ferait mourir.

« Le premier homme qui vous verrait, vous prendrait et ferait de vous sa femme. Et si vous deveniez la femme d'un autre que moi, je n'attendrais pas longtemps; mais je courrais me frapper la tête 20 contre un mur ou un rocher et y trouver la mort.[4]

[1] (pensée), thought.   [2] (baiser), to kiss.   [3] cœur, heart.
[4] (mort), death.

22

Parce que j'aimerais mieux mourir d'une mort terrible que de vivre et de savoir que vous êtes à un autre que moi, tant je vous aime. »

« Aucassin, » dit Nicolette, « je ne crois pas que vous m'aimiez autant que [1] vous le dites; mais moi, je vous aime plus que vous ne [2] m'aimez. »

« Pardieu ! ma douce amie, » dit Aucassin, « il n'est pas possible que vous m'aimiez autant que je vous aime. La femme ne peut pas aimer l'homme autant que l'homme aime la femme. Parce que l'amour de la femme est dans son œil et au bout de son pied; mais l'amour de l'homme est bien dans son cœur et ne sait pas en sortir. »

Pendant qu'Aucassin et Nicolette parlent ainsi, les gardes * de la ville viennent le long de la rue, leurs épées à la main, parce que le comte Garin leur a donné l'ordre de mettre Nicolette à mort, s'ils peuvent la trouver.

Le garde qui est sur la tour, les voit venir dans la sombre rue, et les entend parler entre eux de Nicolette, et de l'ordre du comte de la tuer.

« Dieu ! » se dit-il, « quel dommage,[3] s'ils tuent cette belle fille ! Il est certain que je ferais du bien [4] si je pouvais lui dire de ne pas se laisser voir [5] et de s'en aller bien vite; parce que, s'ils la tuaient, Aucassin en mourrait. Je suis dans son service et je

[1] **autant,** as much; **autant que,** as much as. [2] **ne**: disregard this usage. [3] **dommage,** shame, pity; **c'est dommage,** it is a shame (pity). [4] **que je ferais du bien,** that I should do a good deed. [5] **de ne pas se laisser voir,** not to let herself be seen.

le respecte *; s'il mourait, ce serait grand dommage. »

Puis, le garde commence à chanter très doucement, parce qu'il a entendu ce que Nicolette a dit 5 à son ami et veut la mettre sur ses gardes [1] contre les hommes qui cherchent à la tuer. Voici ce qu'il chante:

*   *   *

« O jeune fille à la douce figure, tu parles à ton ami, qui pour tes yeux souffre comme un mourant. J'ai 10 tout entendu. Mais écoute le mal qui t'attend. Prends garde des hommes qui te cherchent dans la rue, l'épée à la main. Ils viennent te tuer, si vite **tu** ne t'en vas pas. Prends garde. »

VIII

How does Nicolette make her escape?
How does she get out of the moat?
Where does she find herself?
In what predicament is she?

Nicolette entend la chanson; elle lui répond:
15 « Hé! toi que je ne connais pas et qui me parles ainsi, je te remercie [2] de ce que tu m'as dit. Je prendrai garde de ces hommes, et que Dieu vienne à mon aide! »

Puis, elle prend le bout de sa robe de soie dans une

[1] **la mettre sur ses gardes,** to warn her.   [2] **remercier (de),** to thank (for).

24

main, et se cache bien derrière le rocher au pied de
la tour. Les hommes passent le long de la rue et
s'en vont, sans l'avoir vue.

Nicolette descend dans la rue et s'en va vers les
murs de la ville. Elle monte dessus,[1] et elle fait si 5
bien qu'elle arrive en peu de temps entre le mur et
le fossé.[2]

Le fossé est sombre et profond.[3] Nicolette a
grand'peur.

« Hé! si je me laisse tomber, » dit-elle, « je me 10
frapperai la tête contre les rochers, et si je reste ici,
on me prendra demain [4] et on me brûlera vive.
J'aime mieux mourir dans le fossé que de rester ici,
où tout le monde viendra demain me regarder. »

Elle fait le signe de la croix [5] et descend dans le 15
fossé; quand elle en est au fond,[6] elle remercie
Dieu d'y être arrivée encore vivante.

En descendant sur les rochers et les pierres elle
s'est fait beaucoup de mal; ses beaux pieds et ses
belles mains sont couverts de sang.[7] Mais sa grande 20
peur lui fait oublier le sang et la douleur.

Elle cherche au fond du fossé le moyen de remonter, parce que le fossé est très profond et très
sombre, et elle ne veut pas y passer la nuit, toute
seule.   25

Enfin, elle trouve un bâton que les hommes de la
ville ont jeté du haut du mur pour défendre le

---

[1] (dessus), on top.   [2] fossé, ditch, moat.   [3] profond,
deep.   [4] demain, tomorrow.   [5] croix, cross.   [6] fond, bottom.   [7] sang, blood.

château contre ceux du comte Bougars. Avec l'aide de ce bâton, en mettant un pied après l'autre, elle remonte lentement jusqu'au haut du fossé.

Là, elle se trouve tout près d'une immense forêt,
5 qui est pleine [1] de bêtes sauvages.[2] Elle peut entendre leurs cris dans la nuit et les bruits qu'ils font en marchant sous les arbres. Elle ne sait que faire; si elle entre dans la forêt, les bêtes sauvages pourront bien la tuer, et si elle reste là, on la prendra et on la
10 ramènera dans la ville pour la brûler vive.

* * *

Quand Nicolette, au bout de ses forces, arrive enfin au haut du fossé, elle est près de perdre courage et se met à prier Dieu [3] ainsi:

« Roi de majesté, notre Père, aidez-moi dans ma
15 misère. Je ne sais que faire. Si je m'en vais dans la forêt profonde, pleine de bêtes sauvages, il est certain qu'elles me mangeront. Si j'attends ici, on me trouvera demain et on me brûlera sans perdre de temps. Mais, j'aime encore mieux que quelque
20 bête me mange, que de rentrer dans la ville de Beaucaire. Je n'y irai jamais. »

[1] plein, full.   [2] sauvage, wild.   [3] prier, to beg, ask; prier Dieu, pray.

26

IX

Where does Nicolette pass the night?
With whom does she talk in the morning?
What does she ask them to do?
What arrangements does she make to test Aucassin's
love?

Après avoir ainsi prié Dieu, Nicolette fait le signe
de la croix et s'avance dans la forêt.

Elle ne s'y avance pas très loin, parce qu'elle a
grand'peur d'être mangée par les bêtes sauvages
qui y vivent. Enfin, elle s'arrête, fatiguée et au 5
bout de ses forces, et se couche [1] dans l'herbe, sous
un arbre. Là, elle dort jusqu'au matin.[2]

Le matin, des bergers [3] sortent de la ville et mènent
leurs bêtes entre la forêt et le fossé. Ils vont tous à
une belle fontaine qui se trouve près de l'arbre sous 10
lequel Nicolette dort toujours. Là, ils s'asseyent [4]
sur l'herbe et mangent leur pain. Pendant que les
bergers mangent, Nicolette se réveille aux cris des
oiseaux, et s'avance vers la fontaine.

« Beaux enfants, » dit-elle, « que Dieu vous aide ! » 15

« Que Dieu vous garde ! » dit l'un d'eux, qui a la
langue [5] un peu plus libre que les autres.

« Connaissez-vous Aucassin, le fils du comte Garin
de Beaucaire ? »

---

[1] **se coucher,** to lie down.   [2] **matin,** morning.   [3] BERGER,
shepherd.   [4] **s'asseoir,** to sit down.   [5] **langue,** tongue.

« Oui, nous le connaissons bien. »

« Si Dieu vous aide, beaux enfants, dites-lui qu'il
y a une bête dans cette forêt, et que, s'il pouvait y
venir la prendre, il ne voudrait la donner ni pour
5 cent francs d'argent pur, ni pour cinq cents, ni pour
rien en ce monde. »

Les bergers la regardent, et ils voient qu'elle est
belle, plus belle même que les jours au mois de mai.
Et ils ne trouvent pas de mots à lui dire.

10   Mais enfin, celui qui a la langue un peu plus libre
que les autres, lui répond ainsi:

« Vous voulez que je le lui dise ? Maudit soit
celui qui le lui dira ! Vous dites ce qui n'est pas vrai.
Vous êtes fée.[1] Il n'y a pas de bêtes de tant de valeur
15 dans cette forêt, ni dans tout le monde, non plus.
Ni lion,* ni sanglier ne vaut [2] tant d'argent pur.
Maudit soit celui qui vous croit et qui le lui dira !
Vous êtes fée ! Nous ne voulons pas de votre com-
pagnie; passez votre chemin ! » [3]

20   « Ha ! beaux enfants, » dit Nicolette, « vous le
ferez. La bête vaut beaucoup plus que vous ne [4]
le pensez, et si Aucassin la prenait, il serait vite
guéri de sa douleur et de sa misère. J'ai ici cinq
sous; prenez-les et dites-lui ce que je viens de vous
25 dire. Et dites-lui aussi de venir trouver cette bête
dans trois jours; si dans trois jours il ne la trouve
pas, jamais il ne sera guéri de sa misère. »

« Pardieu ! » dit le berger, « nous prendrons les

[1] FÉE, fairy. [2] valoir, to be worth. [3] chemin, path, way;
passez votre chemin ! pass on your way ! [4] ne: disregard
here.

cinq sous, et si Aucassin vient ici, nous le lui dirons, mais nous n'irons pas le chercher. »

« Que Dieu vous garde, » répond Nicolette, et elle s'en va.

* * *

Nicolette entre dans la sombre forêt et s'avance 5 lentement sur un petit chemin qui conduit à un endroit[1] d'où partent quatre routes.

La forêt est très profonde et très sombre; les branches des arbres so baissent et couvrent la jeune fille comme les draps d'un immense lit. Elles 10 ressemblent à des bras de géant, qui essaient de la prendre en passant. Nicolette en a grand'peur, mais elle fait le signe de la croix sur son cœur et s'avance bravement vers l'endroit d'où les quatre routes partent et s'en vont dans toutes les directions. 15

Là, elle s'arrête et se met à penser à ce que son ami va faire et s'il l'aime toujours comme il le dit.

Donc, pour le mettre à l'épreuve, elle prend des branches, des fleurs, des feuilles et de l'herbe et en fait une hutte,[2] dont on n'a jamais vu de plus belles. 20 Puis, elle dit:

« Sire Dieu, toi qui aimes et[3] les pauvres et les grands de ce monde, et à qui on ne doit dire que ce qui est toujours vrai, je te promets que, si mon doux Aucassin vient ici et ne s'y repose[4] pas un moment, 25 il ne sera plus mon ami, ni moi la sienne. »

[1] endroit, place, spot. [2] HUTTE, hut. [3] et ... et, both : : and. [4] se reposer, to rest.

29

X

What rumor spreads through the land?
How does Garin try to make his son happy?
What advice does the Knight give Aucassin?
Whom does Aucassin encounter at the close of day?

Ayant fini son travail sur la hutte, Nicolette se
cache près de l'endroit pour se reposer un peu et
pour voir ce que fera Aucassin à sa venue.

Le bruit s'en va par tout le pays que Nicolette
5 est perdue. Les uns disent qu'elle s'en est allée au
loin, et les autres que le cruel comte Garin l'a fait
mettre à mort. Si le comte en est heureux, Aucassin
ne l'est pas.

Enfin, le comte Garin le fait sortir de prison. Il
10 fait venir au château tous les chevaliers de sa terre
et toutes les nobles dames, tous les jongleurs et
tous les chanteurs,[1] et il fait faire une très belle
fête,[2] pensant rendre son fils heureux.

Au plus beau moment de la fête, Aucassin va
15 regarder par une fenêtre, tout douloureux[3] et
souffrant, parce qu'il n'a pas le cœur d'être heureux
quand il ne voit pas ce qu'il aime le plus en ce monde.
Un chevalier le regarde, vient à lui et lui dit:

« Aucassin, moi aussi, j'ai souffert de la douleur
20 que vous avez. Si vous voulez me croire, je vous
dirai ce que vous pourriez faire de mieux. »[4]

[1] (chanteur), singer. [2] fête, feast, festivity. [3] (douloureux), sorrowful, painful. [4] ce que vous pourriez faire de mieux, the best thing that you can do.

30

« Sire, » dit Aucassin, « dites-le-moi, et je vous en remercie. »

« Montez à cheval, allez au fond de cette forêt que vous voyez là. Vous y verrez de l'herbe et des fleurs et vous y entendrez chanter de petits oiseaux. 5 Si vous y entendiez parler aussi des fées, près de la vieille fontaine, ou à cet endroit d'où quatre routes partent et s'en vont dans toutes les directions, vous pourriez encore être heureux. »

« Sire, » dit Aucassin, « je vous en remercie; je 10 le ferai, et sans attendre. »

Il sort du château par une petite porte de derrière, va trouver son cheval, monte et sort de la ville. Il prend un chemin qui le conduit vers la forêt. Enfin, il arrive à la fontaine. 15

Le jour est près de finir; les bergers reviennent à la fontaine chercher de l'eau pour boire en mangeant leur pain. Quand ils voient venir le jeune Aucassin, qui rêve à sa douce amie qu'il a perdue si cruellement, l'un des bergers se met à parler ainsi: 20

* * *

« Voici notre jeune sire Aucassin qui vient. Que le bon Dieu vienne à son aide et le guérisse de sa maladie ! Vraiment, le jeune homme est beau ! Et la jeune fille aux cheveux blonds et aux yeux bleus, qui nous a donné cinq gros sous ce matin, 25 elle était belle aussi, pardieu ! Que Dieu la garde ! »

XI

What do the shepherds refuse to do?
What is the story they relate to Aucassin?
What is their reward?
For what does Aucassin go hunting in the forest?

Quand Aucassin entend parler les bergers, il rêve à Nicolette. Il pique son cheval et vient près d'eux.

« Beaux enfants, que Dieu vous aide ! » leur dit-il.

« Dieu vous garde ! » répond celui qui a la langue
5 plus libre que les autres.

« Beaux enfants, redites-moi [1] ce que vous disiez avant ma venue. »

« Nous ne le redirons jamais; maudit soit celui qui vous le dira, beau sire ! »

10 « Beaux enfants, me connaissez-vous ? »

« Oui, nous savons bien que vous êtes Aucassin, fils du comte Garin de Beaucaire. Mais nous ne sommes pas à vous. Nous sommes au comte Garin. »

« Beaux enfants, dites-le-moi, je vous prie. »

15 « Pardieu ! pourquoi vous le redire, s'il ne nous plaît [2] pas ? Si le comte Garin en personne * est le seul homme en ce pays qui puisse nous chasser, nous et nos bêtes, de ses forêts ou de ses champs,[3] pourquoi vous dire ce qu'il ne nous plaît pas ? »

20 « Que Dieu vous aide, beaux enfants, vous le

---

[1] (redire), to say again, repeat.   [2] plaire (à), to please,
[3] champ, field.

redirez. Tenez, voilà dix gros sous que j'ai; je vous les donne. »

« Sire, nous prendrons les sous, mais nous ne vous le redirons pas, c'est certain. Mais nous ferons une petite histoire qui vous plaira, si vous voulez. » 5

« Pardieu, » dit Aucassin, « j'aime mieux une histoire que rien du tout. »

« Alors, sire, nous étions ici ce matin, au point du jour, et nous mangions notre pain à cette fontaine, comme nous le faisons en ce moment, quand nous 10 avons vu venir sur le chemin une jeune fille, la plus belle du monde. Elle était si belle que nous avons cru voir une fée de la forêt.

« Elle nous a donné tant de son argent que nous lui avons promis que, si vous veniez ici, nous vous 15 dirions d'aller chasser [1] dans cette forêt. Nous lui avons promis aussi de vous dire qu'il y a là une bête qui, si vous pouviez la prendre, vous vaudrait plus de cinq cents francs d'argent pur et même plus que tout l'argent de ce monde. Parce que cette bête, si 20 vous pouvez la prendre, vous guérira de votre maladie. Mais dans trois jours il faut [2] que vous l'ayez prise, et si vous ne l'avez pas prise avant ce temps-là, jamais vous ne la verrez. Alors, nous avons tenu à notre promesse. » 2!

« Beaux enfants, » dit Aucassin, « vous en avez dit assez, et que Dieu me la fasse trouver ! »

* * *

L'histoire du berger entre dans le cœur d'Aucassin

[1] (chasser), to hunt.   [2] falloir, to be necessary, must.

jusqu'au fond. Il part sur son cheval à toute vitesse et entre dans la forêt profonde.

« Pour vous seule je viens dans la forêt, ma Nicolette, » dit-il. « Que m'importe [1] lion, sanglier ou
5 bête sauvage ? Ce ne sont pas eux que je chasse ici, mais c'est vous. Je laisse derrière moi les champs, la ville, le château de mon père, et cette guerre que l'homme n'a pu finir. C'est par là [2] que vous êtes allée, et c'est par là que je m'en vais, n'importe où
10 me conduise le chemin.

« Douce amie, encore voir vos yeux, entendre encore votre douce voix,[3] c'est tout ce que je veux en ce monde. Qu'il plaise à Dieu que je vous voie encore, douce amie ! »

XII

Whom does Aucassin meet at nightfall?
With what does the peasant reproach him?
What misfortune has befallen the peasant?
How does Aucassin remedy his condition?
What accident befalls Aucassin in the forest?

15 Aucassin va par la forêt, cherchant Nicolette.

Il pique son cheval, qui court sur le chemin à toute vitesse. Les branches lui frappent la figure, et les épines [4] lui font mal aux mains et aux bras,

---

[1] **importer,** to matter; **que m'importe?** what matters (does it matter) to me?   [2] **par là,** that way.   [3] **voix,** voice.   [4] **épine,** thorn.

34

en passant. Et le sang sort de ses mains et tombe sur l'herbe. Mais il rêve tant à Nicolette, sa douce amie, qu'il ne sent ni mal ni douleur.

Tout le jour il va et vient ainsi sur les chemins de la forêt, mais il ne trouve pas son amie. Alors, il se 5 met à pleurer la perte de sa Nicolette.

Vers la fin [1] du jour, sur une vieille route couverte d'herbe, il rencontre [2] un vieux paysan [3] qui a l'air si pauvre et si douloureux qu'Aucassin s'arrête et lui parle: 10

« Que Dieu vous aide ! » lui dit-il.

« Dieu vous garde, sire ! » répond le paysan.

« Pardieu, mon homme, que faites-vous ici ? »

« Que vous importe cela ? »

« Rien ; si je vous le demande, en vous rencontrant 15 ici, je le fais comme à un ami au désespoir. »

« Mais vous, pourquoi allez-vous par ces chemins en pleurant ? Si j'étais aussi riche que vous, rien au monde ne me ferait pleurer. Ce ne sont pas les épines qui vous font tant de douleur, je crois. » 20

« Bah ! vous me connaissez, alors ? »

« Oui, je sais bien que vous êtes Aucassin, le fils du comte, et si vous me dites pourquoi vous pleurez, je vous dirai ce que je fais ici. »

« Alors je vous le dirai. Je suis venu ce matin 25 chasser dans la forêt. J'avais un chien [4] blanc, le plus beau chien du monde, je crois ; je l'ai perdu, et je pleure sa perte. »

---

[1] (fin), end. [2] rencontrer, to meet, encounter. [3] (paysan), peasant. [4] chien, dog.

« Oh ! ce n'est que cela ! Vous pleurez pour un chien ! Et il n'y a pas de gentilhomme dans ce pays qui ne donne pas cinq chiens ou dix à votre père, s'il lui en demande. Moi, j'ai le droit [1] de pleurer
5 et d'être au désespoir. »

« Vous ? et pourquoi ? »

« Sire, je vous le dirai. Je travaille pour un homme riche de Beaucaire. Je travaille dans les champs, où je mène mes quatre bœufs.[2] Il y a [3] trois jours,
10 j'ai perdu un de mes bœufs, et je vais le cherchant par les chemins de la forêt. Je ne mange ni ne bois depuis trois jours, mais si je rentre dans la ville, on me mettra en prison. C'est leur droit. Parce que je n'ai pas de quoi [4] payer [5] le bœuf que j'ai perdu.
15 Ce que j'ai sur mon corps, c'est tout ce que j'ai au monde. Je n'ai rien d'autre,[6] rien

« Et si je suis au désespoir, ce n'est pas pour moi-même ; parce que toujours l'argent s'en va et revient. Si j'ai perdu il y a trois jours, je gagnerai [7]
20 demain ; je payerai mon bœuf quand je pourrai, je trouverai de quoi vivre, et pour cela je ne pleurerai jamais. Mais c'est ma pauvre vieille mère [8] que je pleure ; elle n'avait qu'un seul lit et de vieux draps, et on les a pris et on l'a laissée couchée sur la terre.
25 Mais vous, vous pleurez pour un chien ! un chien qui ne vaut rien ! »

---

[1] **droit**, *n.* right. [2] **bœuf**, ox. [3] **il y a**, ago (*note the word order*). [4] **de quoi**, the wherewithal. [5] **payer**, to pay (for). [6] **Je n'ai rien d'autre**, I have nothing else. [7] **gagner**, to earn, win. [8] **mère**, mother.

« Certainement vous m'avez fait du bien, mon homme. Et que valait votre bœuf ? »

« On m'en demande vingt [1] sous, beau sire. »

« Eh bien, tenez, voici vingt-cinq sous que j'ai là dans ma poche; allez chercher un autre bœuf pour vous-même et un bon lit et de beaux draps pour votre vieille mère, et que Dieu vous garde ! » 5

« Sire, je vous remercie. Que Dieu vous fasse trouver ce que vous cherchez ! »

Aucassin s'en va dans la forêt. 10

La nuit est belle et douce, — une vraie nuit d'été ! Au-dessus des arbres, Aucassin voit la lune, qui se lève dans le ciel [2] tranquille et, au loin, il entend la chanson d'un oiseau qui s'endort. Il s'en va lentement, en rêvant à sa douce Nicolette qu'il a perdue. 15

Enfin, il arrive à l'endroit où se trouve la hutte, toute couverte de fleurs; elle est si belle qu'elle ne peut l'être plus. Dans la lumière [3] de la lune, elle ressemble à un château de fée.

Quand Aucassin la voit, il s'arrête. La lumière de la lune entre dans la hutte et la rend plus belle que jamais. 20

« Dieu ! » se dit-il, « Nicolette, ma douce amie, a passé ici; c'est elle qui a fait cette hutte de ses belles mains. Pour l'amour d'elle et de sa douceur,[4] je descendrai ici et je me reposerai cette nuit. » 25

En descendant, comme il ne pense pas à ce qu'il fait, son pied reste pris, et il tombe avec force contre

---

[1] **vingt,** twenty.   [2] **ciel,** sky, Heaven.   [3] **lumière,** light.
[4] **(douceur),** sweetness, gentleness.

une pierre près du chemin et se fait grand mal à l'épaule.[1] Il souffre beaucoup de la douleur, mais il fait ce qu'il peut et il attache son cheval au tronc d'un arbre et vient jusqu'à la hutte.

5   Il y entre et met son épaule contre le mur de branches et de fleurs; il souffre beaucoup, mais peu lui importe. Il rêve toujours à Nicolette.

A travers[2] les branches au-dessus de lui, il voit des étoiles[3] du ciel, et il en regarde une qui est plus 10 grande et plus belle que les autres, et lui dit:

*   *   *

« Étoile que la nuit attire et qui donnes ta lumière pour les riches et les pauvres de ce monde, pour ceux qui sont heureux et pour ceux qui souffrent ou qui sont au désespoir, je te vois. Ma Nicolette est 5 avec toi. Dieu, voulant sa beauté et sa douceur au ciel, l'a prise et la gardera pour toujours, au paradis. Si seulement je pouvais monter jusqu'à toi pour voir mon amie, peu m'importerait ce qui pourrait m'arriver dans ce monde ou dans l'autre. »

[1] épaule, shoulder.   [2] à travers, through.   [3] étoile, star.

XIII

How does Nicolette know that Aucassin is in the hut?
How does she cure Aucassin of his injury?
What does Nicolette fear?
Where do they go?

Nicolette n'est pas loin, et quand elle entend la voix d'Aucassin, elle va vers la hutte et écoute ce qu'il dit. Puis, elle entre dans la hutte et lui jette les bras autour du cou.[1]

« Doux ami, » lui dit-elle, « soyez le bienvenu ! »[2]

« Et vous, douce amie, soyez la bien retrouvée ! » répond Aucassin, et ils se baisent.

Puis elle prend l'épaule d'Aucassin dans ses deux mains et fait si bien, avec l'aide de Dieu qui aime ceux qui s'aiment, que son épaule se remet[3] à sa 10 place.* L'ayant remise aussi bien qu'elle pouvait, elle y met des feuilles, des fleurs et de l'herbe, et Aucassin est vite guéri de sa douleur. Il ne souffre plus.

Puis Nicolette lui dit: 15

« Doux ami, vous devez penser à ce que vous allez faire. Si demain votre père vient vous chercher dans cette forêt, et s'il nous trouve ici, il est certain qu'il me tuera et qu'il vous fera grand mal. »

« Douce amie, » lui répond Aucassin, « cela ne doit 20

---

[1] **cou,** neck.   [2] **soyez le bienvenu!** (be) welcome!   [3] **(re-mettre),** to put back, set (*a bone, etc.*)

pas arriver; si Dieu le veut, on ne vous prendra jamais. »

Il monte sur son cheval de bataille, prend son amie devant lui, et ils s'en vont par la forêt.

*   *   *

5   Aucassin est si heureux qu'on ne peut l'être plus, parce qu'il tient dans ses bras, devant lui, ce qu'il aime le plus au monde. Il sort de la forêt et s'en va au loin.

Enfin, Nicolette lui dit:

10   « Aucassin, mon ami, où me conduisez-vous ainsi ? »
Et Aucassin lui répond:

« Douce amie, eh ! que sais-je, moi ? Il ne m'importe où je te conduis, montagne ou champs, forêt ou pays, si toujours tu es avec moi. »

15   Ils s'en vont par les montagnes et les champs, par les villes et les villages, marchant toujours tout droit devant eux. Au matin,[1] ils arrivent à la mer [2] et s'arrêtent au bord [3] de l'eau.

XIV

*What happens to Aucassin and Nicolette as they walk
    along the seashore?*
How does Aucassin come at last to Beaucaire?
What possessions has Count Aucassin?
Where would he be willing to go in search of Nicolette?

Aucassin descend de son cheval, avec son amie.

[1] **au matin,** in the morning.   [2] **mer,** sea.   [3] **bord,** edge.

Il tient Nicolette par la main et ils commencent à marcher le long du bord de la mer. Ils marchent lentement et se parlent d'amour.

Pendant qu'ils marchent ainsi au bord de l'eau, des Sarrasins viennent les prendre. Ils attachent les mains et les pieds d'Aucassin et de Nicolette avec des cordes, et les jettent dans des bateaux.[1] Ils jettent Aucassin dans un bateau et Nicolette dans un autre. Puis, ils se mettent à la mer.[2]

Vers la fin du jour, un gros orage[3] s'élève[4] et 10 sépare * les deux bateaux. Celui qui porte Aucassin court si bien et si longtemps que, après beaucoup d'aventures, il arrive enfin à une ville au bord de l'eau, très loin de Beaucaire.

Les hommes du pays viennent prendre le bateau, 15 y trouvent Aucassin et le reconnaissent. Ils lui donnent sa liberté et le conduisent jusqu'à Beaucaire.

Quand ceux de Beaucaire voient le jeune homme et qu'il est encore vivant, ils en sont très heureux. 20 Le père et la mère d'Aucassin sont morts. Alors, ils le conduisent au château et deviennent ses hommes, et il tient le pays en son pouvoir.

*   *   *

Le comte Aucassin vit dans son beau château de Beaucaire. Il est riche et noble et tient en son 25 pouvoir beaucoup de belles terres et cent chevaliers des plus courageux du pays, mais il n'est pas heureux,

---

[1] **bateau,** boat, ship.   [2] **ils se mettent à la mer,** they put out to sea.   [3] **orage,** storm.   [4] **(s'élever),** to arise.

parce qu'il pense toujours à sa douce Nicolette qu'il
a perdue.

« Quel endroit du monde, » se dit-il, « peut te
cacher en ce moment, mon amie ?   Maudit soit
5 l'orage qui nous a séparés ! J'irais vite te chercher,
n'importe où tu sois, soit [1] en France, ou en Angleterre, ou au loin dans les pays des Sarrasins, ou au
bout du monde, si seulement je savais l'endroit où
l'on t'a mise. »

XV

What questions do the Saracens ask Nicolette?
Why does she not tell them?
Who is she?
How does she come to know her identity?

10   Laissons là Aucassin et revenons à Nicolette.

Le bateau qui la porte est celui du roi de Carthage.[2]   Il est son père.   Elle a dix frères,[3] tous
princes * ou rois.

Quand les hommes du bateau voient Nicolette et
15 la trouvent si belle, ils lui font grand honneur et
lui demandent qui elle est, parce qu'ils pensent
qu'elle est une dame très noble et de haut rang.

[1] **soit ... ou ... ou,** whether ... or ... or.   [2] It is not the
ancient city of Hannibal and the Punic Wars, on the northern
coast of Africa, near modern Tunis, to which the author refers, but the city of *Carthagène* (Cartagena) in Spain, on the
Mediterranean sea.   Carthage was finally destroyed by the
Arabs in 698 A.D.   [3] **frère,** brother.

Mais elle ne sait leur dire qui elle est, parce que des ennemis de son père l'ont prise quand elle était toute petite enfant et l'ont ramenée dans leur pays.

Après l'orage, le bateau fait si bien qu'il arrive enfin à la ville de Carthage. Et quand Nicolette [5] voit les murs du château, elle se reconnaît et sait que c'est là qu'elle a vécu [1] comme petite enfant.

*　*　*

Donc Nicolette est arrivée sous les murs du château de Carthage. Avec surprise,* elle le reconnaît comme l'endroit où elle a passé les premiers [10] jours de sa vie. Mais elle n'en est pas heureuse, parce qu'elle pense à son doux ami Aucassin et le regrette.

« A quoi bon [2] être la fille du roi de Carthage et avoir pour frères des princes et des rois, si je me sens [15] mourir d'amour pour celui que je ne reverrai jamais ? Que Dieu me conduise pour le voir un seul jour, le temps de le baiser et de lui dire ce qui est dans mon cœur ! Le reste ne m'importe. »

[1] vécu p.p. vivre, lived. [2] à quoi bon, what is the good (of)?

XVI

How does the King know that Nicolette is his daughter?
What does he wish her to do?
How does she set out to find Aucassin?
What is he doing when she finds him?

Quand le roi de Carthage entend Nicolette parler
ainsi, il jette ses bras autour d'elle et lui dit:

« Belle douce amie, dites-moi qui vous êtes. »

« Sire, » lui dit-elle, « je suis la fille du roi de
5 Carthage. Il y a longtemps, des ennemis de mon
père m'ont prise et m'ont emmenée[1] dans un pays
lointain. J'ai dix frères qui sont, soit des princes,
ou des rois de pays que je ne connais pas. »

Quand le roi l'entend parler ainsi, il sait bien que
10 Nicolette est sa fille.

Alors, il lui fait une grande fête et la conduit au
palais en grand honneur comme une fille de roi.
Il veut la donner en mariage à un roi sarrasin; mais
elle ne veut pas oublier son doux ami, Aucassin,
15 qu'elle aime tant.

Elle reste à Carthage quatre ans.[2] Elle rêve
toujours au moyen de retrouver son ami. Il est
toujours dans ses pensées et au fond de son cœur.

Enfin, elle a une bonne idée. Elle sait jouer de[3]
20 la viole.[4] Une nuit où il n'y a pas de lune, elle prend

---

[1] (emmener), to take (lead) away. [2] an, year. [3] jouer,
to play; jouer de, to play (*an instrument*). [4] VIOLE, viola.

sa viole, sort du château par une porte de derrière, descend jusqu'au bord de la mer, et se cache dans la hutte d'une pauvre femme.

La femme prend une herbe [1] qu'elle connaît, en frotte [2] les mains et la figure de Nicolette, et les rend toutes noires. [3]

Puis, Nicolette met des habits [4] de jongleur, prend sa viole, et monte dans un bateau qui va partir de Carthage pour le pays de France.

Enfin, après beaucoup d'aventures, le bateau arrive à une ville au bord de la mer, pas loin de Beaucaire. Nicolette, qui porte toujours des habits de jongleur, prend sa viole, descend du bateau, et s'en va, en jouant de la viole par tous les villages et par toutes les villes du pays.

Un matin, au mois de mai, Nicolette arrive à Beaucaire et vient au château où se trouve Aucassin.

* * *

Aucassin vient s'asseoir, un jour, au pied de la tour du château. Vingt gentilshommes de la ville se tiennent près de lui et lui parlent. Il regarde les fleurs au bord du fossé, et entend chanter des oiseaux au loin; mais il ne répond rien à ce qu'on lui dit. Parce qu'il rêve à Nicolette et à ce temps heureux où il la tenait devant lui sur son cheval et ils s'en allaient vers la mer. Il y a quatre ans qu'il ne l'a vue. [5] Et il la regrette toujours.

[1] (herbe), herb.   [2] frotter, to rub.   [3] noir, black, dark. [4] habits *pl.*, clothes.   [5] Il y a quatre ans qu'il ne l'a vue, It is four years since he has seen her.

Mais voici Nicolette qui s'avance vers lui, prend sa viole et chante ainsi :

« Beaux sires, vous plaît-il d'entendre l'histoire très douce d'Aucassin et de Nicolette, son amie ?
5 Il l'aimait d'un cœur très noble et très fidèle.[1] Un jour, donnant sa vie pour son amour, il l'a suivie dans une forêt profonde. Là, il l'a trouvée à un endroit d'où quatre routes partent, et ils s'en sont allés par l'une de ces routes vers la mer, au loin.
10 Mais des Sarrasins les ont pris et ont mis Aucassin sur un bateau et Nicolette sur un autre. D'Aucassin nous ne savons plus rien.

« Mais Nicolette est à Carthage, dont son père est le roi. Elle a dix frères qui sont, soit des princes,
15 ou des rois, et son père veut qu'elle prenne en mariage un roi sarrasin. Mais Nicolette n'en veut pas, tant elle aime toujours celui qu'elle a pris pour ami et qui s'appelle Aucassin. »

XVII

Why doesn't Aucassin recognize Nicolette?
What promise does Aucassin make?
On leaving Aucassin, what does Nicolette do?
How does she prepare for Aucassin's coming?

Quand Aucassin entend Nicolette parler ainsi, il
20 en est très heureux.

Il ne la reconnaît pas, parce qu'elle porte toujours

---

[1] **fidèle**, faithful.

46

des habits de jongleur, et ses mains et sa figure sont toutes noires. Il la prend par le bras et lui demande:

« Beau doux ami, ne savez-vous rien d'autre de cette Nicolette dont vous venez de chanter la 5 chanson ? »

« Sire, je sais que c'est une jeune fille belle, noble et fidèle. Elle est fille du roi de Carthage, qui l'a prise en même temps qu'Aucassin et l'a conduite dans la ville de Carthage. Il veut lui donner en ma- 10 riage un des rois de l'Espagne,[1] mais elle aimerait mieux se laisser brûler vive que de le prendre. »

« Ha ! beau doux ami, » dit le comte Aucassin, « si vous vouliez rentrer dans ce pays pour lui dire de venir me parler, je vous donnerais tout ce qu'il vous plairait. Sachez que je l'attends et que je n'aurai jamais d'autre femme qu'elle. Et si j'avais su où la trouver, je me serais mis en route il y a long-temps. »

« Sire, » dit-elle, « si vous me promettez cela, 20 j'irai la chercher [2] pour vous et pour elle, que j'aime beaucoup. »

Il le lui promet, et lui fait donner cent francs. En partant, elle lui dit:

« Sire, en peu de temps je vous aurai amené dans 25 cette ville celle que vous aimez tant, et vous la verrez. »

Quand Aucassin l'entend parler ainsi, il en est bien heureux, comme vous pouvez le penser.

[1] **Espagne,** Spain.   [2] **aller chercher,** to fetch, go get.

Nicolette va par la ville jusqu'au palais du vicomte. Le vicomte est mort, mais sa femme la
reconnaît comme la Nicolette qu'elle a élevée
comme sa propre fille. Elle reçoit Nicolette dans
5 son palais et l'y fait reposer pendant huit
jours.

Là, Nicolette prend une herbe qu'elle connaît
bien, s'en frotte la figure et les mains, et se rend aussi
belle qu'elle l'a jamais été. Puis, elle met de riches
10 habits de soie, s'assied dans une chambre sur un
drap de soie, appelle la dame et lui dit d'aller chercher
Aucassin, son ami.

Quand la dame vient au château, elle va trouver
Aucassin et lui dit:
15 « Sire comte, venez avec moi, et je vous ferai voir
ce que vous aimez le plus au monde, parce que c'est
Nicolette, votre douce amie, qui est venue vous
trouver de loin. »

Et Aucassin est heureux.

*   *   *

20 Quand Aucassin sait que son amie se trouve dans
la ville de Beaucaire, il est bien heureux. Sans attendre un moment, il court vers le palais du vicomte.

Il entre dans la chambre où se trouve son amie.
Quand elle le voit venir, elle saute sur ses pieds,
25 court vers lui, et vient tomber sur son cœur. Elle y
reste comme une étoile prise dans les branches d'un
arbre, une nuit d'été.

Ainsi finit l'histoire.

LIST OF IDIOMS

This list includes only those idiomatic expressions that occur for the first time in *Book Two*. Page and line references are indicated thus: **2,** 14 = page 2, line 14.

Les Chandeliers de l'Évêque

Épisodes des *Misérables* de
VICTOR HUGO

RETOLD AND EDITED BY

OTTO F. BOND
The University of Chicago

INTRODUCING 258 NEW WORDS
AND 43 IDIOMS

BOOK THREE

D. C. HEATH AND COMPANY
BOSTON

VOICI VOS CHANDELIERS. PRENEZ-LES.

ENTRE NOUS...

— You have finished *Aucassin et Nicolette* already?

— Yes. The new words did not slow up the reading much.

— There was an overlapping of 77% of the vocabulary of *Book One*, but the new subjunctive verb forms...

— No trouble! I just considered them as indicative forms and went ahead.

— Well, you had to discover their infinitive form to arrive at their meaning, and that was something. Perhaps we should step up the verb difficulty a bit?

— How's that?

— We might shift the narrative into *past* time. That would mean new stems for some verbs and new sets of endings. The past absolute (= past definite) would replace the present for narration, and the past descriptive (= imperfect) would occur in description in past time. Why not review the endings for these tenses before beginning to read *Book Three?*

— O.K. Are there any other changes?

— Progression, rather than change: longer sentences, more dialogue, and maturer subject matter. There is more challenge to thought in the *Chandeliers de l'Évêque.* That may make for slower reading.

— If I don't meet too many new words...

— Oh! we'll take care of that for you. Of the 258 new words, 92% basic, 89 are dependable cognates in the text, and 55 are derivatives of known words. The actual

iii

learning burden, therefore, is only 114 words, or one word
to every 93 words of running text.

— Those 89 cognates sound good to me! Cognates are
like old friends in a crowd.

— Yes, but they are not always *true* friends. You will
find a few false ones in this story, such as *place* in *place de
l'église*. They have been annotated for you; note them
well.

— What part of Hugo's *Les Misérables* is this? There
are over two thousand pages in the original, I know.

— Only the opening episodes of the story, condensed
and simplified, though with much of Hugo's phraseology
retained. When you read the original,* as some day you
will, you will find that this simple condensation has given
you an accurate and helpful start toward a full enjoyment
of Hugo's great romantic novel.

NOTE

New words and expressions, on first occurrence in the
text, are annotated and explained at the bottom of the
page, unless cognate. Cognates, dependable in the given
context, are asterisked, and are omitted from the end-
vocabulary. Derivatives and compounds of words already
known or introduced, if not cognate, are given in parentheses at the bottom of the page, and explained. Words
set in small capitals are outside of the basic vocabulary.

* The inexpensive Nelson edition (New York-London-
Paris, 1931), in four volumes, is recommended.

LES CHANDELIERS
DE L'ÉVÊQUE

I. ON A FAIM[1]

En 1795, par une nuit de décembre,*[2] un jeune homme de vingt-cinq ans était assis[3] devant une table dans une petite maison du village de Faverolles.

C'était Jean Valjean. Quand il était tout petit 5 enfant, il avait perdu son père et sa mère. De sa famille,* il ne restait que lui et sa sœur,[4] et les sept enfants de sa sœur, qui avait perdu son mari.[5] Le premier de ses enfants avait huit ans,[6] le dernier un an. Jean Valjean avait pris la place* du père et par 10 un travail dur[7] et mal payé, il gagnait sa vie[8] pauvrement, mais honnêtement.[9]

Il faisait ce qu'il pouvait. Certains jours, il gagnait dix-huit sous; d'autres, il ne gagnait rien. Aussi, après la mort du mari de sa sœur, la famille 15 passait-elle de nombreux[10] jours sans avoir ni pain ni

---

[1] **avoir faim,** to be hungry. [2] **par une nuit de décembre,** on a December night. [3] **assis** *p.p.* **asseoir,** seated, sitting. [4] **sœur,** sister. [5] **mari,** husband. [6] **avait huit ans,** was eight years old. [7] **dur,** hard. [8] (**vie**), livelihood, living. [9] **honnêtement,** honestly, respectably. [10] **nombreux,** many, (numerous).

1

viande. Sa sœur travaillait aussi, mais que faire[1]
avec sept petits enfants ?

Pendant le mois de décembre, 1795, il faisait très
froid.[2] Jean n'avait pas de travail. La famille
5 n'avait pas de pain. Pas de pain ! et sept petits
enfants !

Alors, une nuit de dimanche,[3] Jean Valjean, assis
seul devant la table sur laquelle il n'y avait ni pain
ni viande, pensait à ce qu'il fallait faire. Dans la
10 chambre voisine,[4] il pouvait entendre pleurer de
faim les sept petits enfants. Comme la vie était dure
et triste !

A dix heures,[5] un marchand[6] de pain sur la place[7]
de l'Église[8] entendit un grand coup dans la fenêtre
15 de son magasin.[9] Il descendit vite et arriva à temps
pour voir un bras passé par un trou[10] dans la fenêtre.
Le bras saisit[11] un pain et l'emporta.[12] Le marchand
sortit du magasin, mais le voleur[13] courait sur la
place. Le marchand courut après lui et l'arrêta.
20 C'était Jean Valjean.

II. LE TRIBUNAL [14]

On conduisit Jean Valjean devant le tribunal.
La grande salle[15] du tribunal était pleine; tous les

[1] que faire, what can be done.   [2] il faisait très froid, the
weather was bitterly cold.   [3] dimanche, Sunday.   [4] VOISINE
(m. voisin), next, near-by.   [5] heure, hour, o'clock.   [6] marchand, merchant.   [7] (place), square.   [8] église, church.
[9] magasin, store.   [10] trou, hole.   [11] saisir, to seize.   [12] EM-
PORTER, to remove, carry off.   [13] voleur, thief.   [14] TRIBUNAL,
(tribunal), court.   [15] salle, hall, room.

gens[1] du village qui connaissaient Jean Valjean, s'y
trouvaient.

Jean Valjean écoutait la voix du juge*:

« Jean Valjean, quand vous venez devant ce tribunal, vous êtes coupable[2] jusqu'à ce que[3] vous 5
ayez pu prouver que vous êtes innocent.* Vous
n'avez pu prouver que vous êtes innocent, vous êtes
donc coupable d'avoir volé[4] un pain au marchand
de pain, place de l'Église, à dix heures, la nuit du
dimanche, le 6 décembre. Vous êtes un voleur. Il 10
faut que la justice* se fasse. »

Jean Valjean comprit[5] que le dernier moment était
venu et qu'il fallait parler, mais les mots ne pouvaient
pas sortir d'entre ses lèvres. Enfin, il répondit au juge:

« Je n'avais pas l'intention* de voler. Je ne suis 15
pas voleur. Je suis honnête, comme tout le monde
pourrait vous le dire. Vous ne savez pas ce que c'est
que[6] d'avoir faim ! Vous ne savez pas ce que c'est
que[6] d'être sans travail, sans argent, sans pain !
J'ai cherché par tout le village, et dans les villages 20
voisins; j'ai fait des kilomètres[7] pour trouver du
travail, mais rien ! Pas de travail, pas de pain. Je
ne voulais pas faire de mal.[8] Tout le monde sait
cela, je n'avais pas l'intention de voler; j'avais
seulement faim, et les petits avaient faim. Vous 25
comprenez, faim, faim ! »

[1] gens, people.   [2] COUPABLE, guilty.   [3] jusqu'à ce que,
until.   [4] (voler), to steal.   [5] comprendre, to understand.
[6] que: disregard here.   [7] kilomètre, kilometer ($= app. \frac{5}{8}\ mile$);
faire des kilomètres, to travel (walk) miles.   [8] (mal), evil,
wrong.

3

« Mais il n'y a rien à faire, » dit le juge du tribunal.
« Il faut que la justice se fasse. On vous condamne*
à cinq ans de galères. »[1]

« Vous ne pouvez pas m'envoyer[2] aux galères pour
5 avoir volé un pain !» s'écria Jean Valjean. Il ne
pouvait pas croire ce qu'il avait entendu. Cinq ans
de galères pour un pain !

Mais les gendarmes[3] le saisirent et l'emmenèrent.
Sa voix se perdit[4] dans le bruit de la salle.

III. NUMÉRO[5] 24601

10 Comme pour tous les autres prisonniers condamnés
aux galères, on ne l'appela plus par son nom.[6] Il
ne fut plus Jean Valjean; il fut le numéro 24601.

Vers la fin de la quatrième année,[7] ses compagnons*
l'aidèrent à s'échapper[8] des galères. Pendant deux
15 jours il fut en liberté, dans les champs, si c'est être
libre que[9] d'avoir peur de tout, d'un homme qui
passe sur la route, d'un cheval qui court le long du
chemin, d'une bête qui sort de son trou, d'un chien,
des enfants, du jour parce qu'on voit, de la nuit
20 parce qu'on ne voit pas. Au bout du deuxième jour,
les gendarmes le reprirent. Il n'avait ni mangé ni
dormi depuis[10] trente-six[11] heures.

---

[1] GALÈRES, *pl.* (galleys), prison (*with hard labor*). [2] **envoyer**, to send. [3] GENDARME, gendarme (*semi-military police officer*). [4] **se perdit**, became lost. [5] **numéro**, number. [6] **nom**, name. [7] (**année**), year. [8] **s'échapper**, to escape. [9] **que:** disregard. [10] **depuis**, since, for. [11] **trente**, thirty.

Le tribunal le condamna à trois ans de prison de plus.

La sixième année, il essaya de s'en échapper une deuxième fois.[1] Il se cacha, la nuit,[2] dans un vieux bateau, au bord de l'eau. Mais un agent* de police* l'y trouva et le saisit. Et il fut condamné à cinq ans de prison de plus, dont deux ans de double* chaîne.* Treize[3] ans, en tout.

La dixième année, il essaya pour la troisième fois de s'échapper. Il ne réussit[4] pas mieux. Trois ans de plus. Ça fait seize[5] ans de prison.

Enfin, pendant la treizième année, il essaya une dernière fois et ne réussit qu'à se faire reprendre après quatre heures de liberté. Trois ans pour ces quatre heures. Dix-neuf ans . . .

Dix-neuf ans, c'est long! L'homme qui était entré à la prison en 1796 pour avoir volé un pain, et qui pleurait à la pensée des sept petits enfants qui allaient souffrir de faim et de froid sans lui, en 1815, cet homme-là n'était plus. C'est cette année 1815 que le numéro 24601 sortit de la prison.

Jean Valjean ne savait plus pleurer, il ne sentait plus, il parlait peu, il ne riait[6] jamais. Pour lui, la vie était devenue sombre, dure, cruelle, sans espoir.[7] Il avait perdu toute sa famille; depuis longtemps, il n'avait pas reçu de leurs nouvelles[8]; il n'allait plus revoir personne. Il était seul, tout seul, contre le monde.

---

[1] **fois,** time. [2] **la nuit,** at night. [3] **treize,** thirteen. [4] **réussir,** to succeed. [5] **seize,** sixteen. [6] **rire,** to laugh. [7] **espoir,** hope. [8] **de leurs nouvelles,** news of them.

IV. LIBERTÉ

En octobre* 1815, la porte de la prison s'ouvrit.
Jean Valjean fut libre. Libre ! Mais il entendait
toujours ce qu'on lui avait dit en sortant:

« Il faudra aller vous présenter* à Pontarlier.[1]
5 Vous connaissez les règlements.[2] Vous vous pré-
senterez au bureau* de police, deux fois par semaine,[3]
pendant la première année; tous les mois pendant la
deuxième année; tous les trois mois pendant la
troisième année, et le premier de l'an, tous les ans,
10 pendant les dix années qui suivront. Si vous oubliez
de suivre les règlements une seule fois, on pourra
vous arrêter.[4] Voici votre passeport* et votre argent. Passez votre chemin ! »

« J'ai un passeport jaune ? »[5]

15 « Oui, il est jaune ! Vous avez essayé de vous
échapper il y a trois ans. On ne donne pas de passeport blanc à ceux qui sont comme vous ! »

Jean Valjean s'en alla sur la route de Digne.[6]

En passant par les petits villages le long de la
20 route, il essayait de trouver du travail. Il était
très fort et pouvait faire le travail de quatre hommes,
sans se fatiguer.[7] Mais il n'y avait pas de travail
pour un homme à passeport jaune, un galérien ![8]

---

[1] **Pontarlier:** small town in eastern France, north of Be-
sançon. [2] RÈGLEMENTS, regulations. [3] **semaine,** week.
[4] (**arrêter**), to arrest. [5] **jaune,** yellow. [6] **Digne:** city of
southeastern France, north of Toulon where Valjean had been
imprisoned. [7] (**se fatiguer**), to become tired, tire. [8] (GA-
LÉRIEN), convict.

Enfin, il entra dans la petite ville de Digne, dans les montagnes des Alpes.*

C'était le soir.[1] Il y avait peu de gens dans les rues. Ceux qui regardaient cet homme misérable,* sombre et fatigué, avec un sac[2] sur le dos[3] et un bâton fort à la main, passaient leur chemin sans lui parler.

Jean Valjean entra au bureau de police; puis sortit peu après. Un gendarme, assis près de la porte, le regarda, le suivit quelque temps des yeux, puis entra au bureau.

Jean Valjean avait faim. Il entra dans une auberge[4] et demanda un lit pour la nuit et quelque chose[5] à manger. Mais l'aubergiste[6] avait envoyé un enfant au bureau de police pour savoir quel était cet homme qui se présentait à l'auberge.

« Monsieur, » dit l'aubergiste, « nous n'avons pas de chambre. »

« Mais je peux dormir avec les chevaux. »

« Il n'y a pas de place. »

« Alors, donnez-moi quelque chose à manger. J'ai de l'argent. »

« Je ne puis pas vous donner à manger. »

Jean Valjean se leva.

« Ah bah ! mais je meurs de faim, moi. J'ai marché depuis le point du jour. J'ai fait seize kilomètres. Je paye. Je veux manger. »

« Je n'ai rien, » dit l'aubergiste.

---

[1] soir, evening. [2] sac, knapsack, bag. [3] dos, back, shoulder. [4] auberge, inn. [5] chose, thing. [6] (aubergiste), innkeeper.

« Je suis à l'auberge; j'ai faim et je reste. »

L'aubergiste le regarda un moment; puis, il lui dit:

« Allez-vous-en. Voulez-vous que je vous dise votre nom? Vous vous appelez Jean Valjean. Maintenant,[1] voulez-vous que je vous dise qui vous êtes? Vous êtes un galérien. Allez-vous-en! »

Jean Valjean baissa la tête, reprit son sac et son bâton, et s'en alla.

V. VA–T'EN !

Il faisait froid.

Dans les montagnes des Alpes, on ne peut pas passer la nuit dans la rue. Alors Jean Valjean entra dans un café,* prit une place devant le feu, et demanda quelque chose à manger. Celui qui tenait le café mit une main sur l'épaule de l'étranger,* et lui dit:

« Tu vas t'en aller d'ici. »

« Ah! vous savez? . . . »

« Oui. »

« Où voulez-vous que j'aille? »

« N'importe où; mais pas ici! »

Jean Valjean prit son bâton, mit son sac sur le dos, et s'en alla.

Il passa devant la prison. Il frappa à la porte. La porte s'ouvrit.

« Monsieur, voudriez-vous m'ouvrir et me donner une place pour cette nuit? »

[1] **maintenant,** now.

« Une prison n'est pas une auberge. Faites-vous
arrêter,[1] on vous ouvrira. »

La porte se referma.

Par la fenêtre étroite d'une petite maison, Jean
Valjean vit une lumière. Il regarda par la fenêtre. 5
Au milieu de la chambre, il y avait une table, sur
laquelle se trouvait du pain et du vin. Il frappa à la
fenêtre un petit coup, très faible ... Il frappa un
second coup ... un troisième coup.

Un paysan se leva et alla à la porte qu'il ouvrit. 10

« Monsieur, » dit l'étranger, « pardon.* En payant,
pourriez-vous me donner une place pour dormir ?
Dites, pourriez-vous ? en payant ? »

« Pourquoi n'allez-vous pas à l'auberge ? »

« Il n'y a pas de place. » 15

« Alors, au café ? »

« Non plus. »

Le paysan regarda le nouveau venu[2] de la tête
aux pieds, puis il s'écria:

« Est-ce que vous seriez l'homme ? ... Va-t'en ! 20
Va-t'en ! »

Puis il referma la porte.

Au bord de la rue, dans un jardin, Jean Valjean
vit une petite hutte. Il souffrait du froid et de la
fatigue.* Alors, il se coucha sur la terre et se glissa[3] 25
dans la hutte.

Il y faisait chaud.[4] L'homme y resta un moment
sans pouvoir faire un mouvement.* Puis il essaya

[1] **Faites-vous arrêter,** Get yourself arrested. [2] **le nouveau
venu,** the newcomer. [3] **se glisser,** to slip, slide. [4] **Il y faisait
chaud,** It was warm there.

9

de mettre son sac à terre. En ce moment, un bruit
lui fit lever les yeux. La tête d'un chien énorme parut[1] derrière lui. Jean Valjean s'arma* de son bâton,
mit son sac entre lui et le chien, et sortit de la hutte
5 comme il put.

Une fois dans la rue, il marcha vers la place de la
ville, et se coucha sur un banc[2] de pierre devant
l'église, en se disant:

« Je ne suis pas même un chien ! »

VI. UN JUSTE[3]

10 Une vieille femme sortait de l'église en ce moment.
« Que faites-vous là, mon ami ? » lui dit-elle.

« Vous le voyez, bonne femme, je me couche, »
répondit-il.

« Sur ce banc ? »

15 « Oui, sur ce banc; un lit de pierre, qu'est-ce que
cela m'importe ? »

« Mais vous ne pouvez pas passer ainsi la nuit. »

« J'ai frappé à toutes les portes . . . on m'a chassé. »

La bonne femme lui montra[4] une petite maison,
20 tout près de l'église.

« Vous avez frappé à toutes les portes ? » lui dit
elle.

« Oui. »

« Avez-vous frappé à celle-là ? »

---

[1] **paraître,** to appear.   [2] **banc,** bench.   [3] **juste,** *n.* just or
upright person.   [4] **montrer,** to show, point out.

10

« Non. »

« Frappez-y. »

Jean regarda la maison, se leva, et s'en alla lentement vers la porte.

C'était la maison de Mgr.[1] Bienvenu, évêque[2] de 5
Digne, un vieil homme de soixante-dix[3] ans, qui y
vivait seul avec sa sœur, Mlle Baptistine, et une
vieille servante,* appelée madame Magloire.

Entendant quelqu'un frapper à sa porte, le bon
évêque cria: 10

« Entrez. »

La porte s'ouvrit. Un homme entra, un sac au
dos, un bâton à la main. Son air sombre et sauvage
fit peur à la petite servante, qui n'eut pas même
la force de jeter un cri.[4] Mlle Baptistine regarda 15
son frère.

L'évêque regarda l'homme d'un œil tranquille.

« Entrez, » dit-il. « Que voulez-vous ici ? »

« On m'a dit de venir ici. Êtes-vous aubergiste ?
J'ai de l'argent. Puis-je rester pour la nuit ? »   20

Pour toute réponse,* l'évêque dit à madame
Magloire:

« Mettez un couvert[5] de plus à la table. »

Puis, il dit à l'étranger:

« Vous avez faim ? Entrez donc ! »   25

Jean le regarda un moment. Il ne pouvait pas
comprendre cet homme-là. Pourquoi ne lui avait-il

---

[1] **Mgr.** *abbreviation for* MONSEIGNEUR, his (your) Grace
(= *title of church dignitary*). [2] ÉVÊQUE, bishop. [3] **soixante,**
sixty; **soixante-dix,** seventy. [4] **jeter un cri,** utter a cry.
[5] COUVERT, cover (= *set of knife, fork, and spoon*).

11

pas dit: « Va-t'en ! » » ? Il s'approcha de[1] l'évêque
et le regarda dans les yeux; puis, il lui dit, lentement,
lentement:

    « Attendez ! Il faut que je vous dise . . . Je m'ap-
5 pelle Jean Valjean. Je suis un galérien. J'ai passé
dix-neuf ans à la prison. Je suis libre depuis quatre
jours[2] et en route pour Pontarlier. Ce soir, en
arrivant dans ce pays, j'ai été dans une auberge, on
m'a dit de m'en aller parce que j'ai un passeport
10 jaune. J'ai été à une autre auberge. On m'a dit:
Va-t'en ! Personne[3] n'a voulu de moi. J'ai été dans
la hutte d'un chien. Ce chien m'a chassé comme s'il
avait été un homme. Alors je me suis couché sur
un banc de pierre, sur la place. Mais une bonne
15 femme m'a montré votre maison et m'a dit: Frappe
là . . . J'ai frappé. Qu'est-ce que c'est ici ? est-ce
une auberge ? J'ai de l'argent; cent neuf francs
quinze[4] sous que j'ai gagnés aux galères par mon
travail en dix-neuf ans. Je payerai. Voulez-vous
20 que je reste ? »

    « Madame Magloire, vous mettrez un couvert de
plus, » dit l'évêque.

    L'homme vint plus près de lui:

    « Tenez, ce n'est pas ça. Avez-vous entendu ? Je
25 suis un galérien ! un galérien ! Je viens des galères. »

    Il tira[5] de sa poche son passeport et le montra à
Mgr. Bienvenu.

    « Voilà mon passeport, » lui dit-il. « Jaune, comme

----

[1] **s'approcher de,** to approach. [2] **Je suis libre depuis quatre jours,** I have been free for four days. [3] **ne . . . personne,** no one, nobody. [4] **quinze,** fifteen. [5] **tirer,** to draw, pull.

vous le voyez. Tenez, voilà ce qu'on a mis sur le passeport: ‹ Jean Valjean, galérien libéré[1] . . . est resté dix-neuf ans à la prison. Cinq ans pour vol.[2] Quatorze[3] ans pour avoir essayé de s'échapper des galères quatre fois. Cet homme est dangereux.* › » 5

« Madame Magloire, » dit l'évêque, « vous mettrez des draps blancs au lit dans la chambre voisine. »

L'évêque se tourna* vers l'homme:

« Monsieur, » lui dit-il, « vous êtes le bienvenu. Asseyez-vous devant le feu. Nous allons souper[4] 10 dans un moment, et l'on fera votre lit pendant que vous souperez. »

Enfin, Jean Valjean comprit. On ne le chassait pas. Il se mit à parler, en cherchant les mots:

« Vrai? Quoi? vous me gardez? Vous ne me 15 chassez pas? un galérien! Pardon, monsieur l'aubergiste, comment vous appelez-vous? Je payerai tout ce que je voudrez. Vous êtes aubergiste, n'est-ce pas? »

« Je suis, » dit l'évêque, « un prêtre[5] qui demeure[6] 20 ici. »

« Un prêtre! » répond l'homme. « Oh! un brave homme de prêtre![7] C'est bien bon un bon prêtre. Alors vous n'avez pas besoin que je paye? »

« Non, » dit l'évêque, « gardez votre argent. » 25

---

[1] (libéré), freed, released. [2] (vol), theft. [3] quatorze, fourteen. [4] souper, to have supper. [5] prêtre, priest. [6] DEMEURER, to live, dwell. [7] un brave homme de prêtre, a worthy man and a priest.

VII. LES CHANDELIERS[1] D'ARGENT

Madame Magloire rentra. Elle apportait un couvert qu'elle mit sur la table.

« Madame Magloire, » dit l'évêque, « mettez ce couvert un peu plus près du feu. Il fait froid dans
5 les Alpes, et monsieur doit avoir froid. »

Chaque fois qu'il disait ce mot *monsieur*, avec sa voix sérieuse* et bonne, Jean Valjean sentait quelque chose remuer[2] dans son cœur.

« Voici, » continua l'évêque, « une lampe* qui ne
10 donne pas beaucoup de lumière. »

Madame Magloire comprit, et alla chercher dans la chambre à coucher[3] de monseigneur les deux chandeliers d'argent qu'elle mit sur la table tout allumés.[4]

15 « Monsieur, » dit Jean, « vous êtes bon, vous croyez que je suis un homme. Vous me recevez comme un ami et vous allumez vos beaux chandeliers d'argent pour moi. N'est-ce pas que je vous ai dit d'où je viens, et que je suis un homme dangereux ? »

20 L'évêque mit sa main doucement sur celle de Jean Valjean, et dit :

« Vous n'avez pas eu besoin de me dire votre nom. Je vous connais. Cette porte ne demande pas à un homme qui y entre, s'il a un nom, mais s'il a une
25 douleur. Vous avez faim et soif,[5] vous souffrez, ainsi vous êtes le bienvenu. Et il ne faut pas me remercier,

---

[1] CHANDELIER, candlestick.   [2] **remuer,** to stir, move.
[3] **chambre à coucher,** bedroom.   [4] **(allumer),** to light.   [5] **soif,** thirst; **avoir soif,** to be thirsty.

14

parce que vous êtes chez vous.[1] Tout ce qui est ici
est à vous. Alors pourquoi vous demander ce que je
savais déjà ? »[2]

« Vous me connaissez, donc ? »

« Oui, vous êtes mon frère. Vous comprenez ? [5]
mon frère. Et vous avez beaucoup souffert,[3] n'est-ce
pas ? »

« Oh ! l'habit rouge, les chaînes aux pieds, la terre
pour dormir, le chaud,[4] le froid, le travail, les gardes,
les coups de bâton, la double chaîne pour rien, une [10]
place sous terre pour un mot, même malade[5] au lit,
la chaîne. Les chiens sont plus heureux ! Dix-neuf
ans ! j'en ai quarante-six.[6] Et maintenant le passeport jaune. Voilà ! »

« Oui, vous sortez d'une maison de tristesse.[7] [15]
Écoutez. Il y aura plus de joie[8] au ciel pour un
homme qui a fait du mal et qui le regrette que pour
la robe blanche de cent justes. Si vous sortez de
cet endroit douloureux avec des pensées de colère[9]
contre les hommes, vous êtes digne de pitié*; si vous [20]
en sortez avec des pensées de bonté[10] et de douceur,
vous valez mieux[11] que n'importe lequel d'entre
nous.[12] Si c'est comme ça que vous sortez, alors, il
y a de l'espoir pour vous en ce monde, et après. »

---

[1] **chez,** at, in, into *or* to the house of: **chez vous,** at home,
in your house. [2] **déjà,** already. [3] (**souffert**) *p.p.* **souffrir,**
suffered. [4] (**chaud**), *n.* heat. [5] (**malade**), ill, sick. [6] **quarante,** forty. [7] (**tristesse**), sadness. [8] **joie,** joy, happiness.
[9] **colère,** anger. [10] (**bonté**), kindness, goodness. [11] **valoir
mieux,** to be better, worth more. [12] **n'importe lequel d'entre
nous,** any one of us, no matter which.

Madame Magloire avait servi[1] le souper. On se mit à table.[2]   Comme il faisait toujours quand quelque étranger soupait chez lui, l'évêque fit asseoir Jean Valjean à sa droite,[3] entre sa sœur et lui.

5   Jean ne leva pas la tête. Il mangea comme une bête sauvage qui souffre de la faim.

Après le souper, monseigneur Bienvenu prit sur la table un des deux chandeliers d'argent, donna l'autre à Jean Valjean, et lui dit:

10   « Monsieur, je vais vous conduire à votre chambre. »

VIII. ON PENSE À TOUT

Pour passer dans la chambre où Jean Valjean allait se coucher, il fallait traverser* la chambre à coucher de l'évêque.

15   Au moment où ils la traversaient, madame Magloire mettait l'argenterie[4] dans un placard[5] dans le mur, près du lit de l'évêque. C'était la dernière chose qu'elle faisait chaque soir avant d'aller se coucher. Elle sentait les yeux de l'étranger qui 20 suivaient tous ses mouvements, et, ayant peur de lui, elle ferma le placard à clef et sortit vite de la chambre. Mais, dans son émotion* elle oublia de prendre la clef avec elle.

Entrant dans la petite chambre voisine, l'évêque 25 fit signe à Jean Valjean de le suivre.

[1] **servir,** to serve.   [2] **se mettre à table,** to sit down to table.
[3] (**droite**), *n.* right hand, right.   [4] ARGENTERIE, silver (plate).
[5] PLACARD, cupboard.

« Voilà votre lit, monsieur, » dit-il. « Faites une bonne nuit.[1] Demain matin, avant de partir, vous boirez du lait[2] chaud, tout chaud. »

Jean Valjean le remercia. Puis, tout à coup,[3] il eut un étrange* mouvement du cœur. Il se tourna 5 vite vers le vieux, leva son bâton, et, regardant l'évêque avec des yeux de bête sauvage, il s'écria.

« Ah ça ![4] vraiment ! vous me donnez un lit chez vous, près de vous comme cela ! Avez-vous bien pensé à tout ? Qui est-ce qui vous dit que je n'ai 10 pas tué un homme ? »

L'évêque répondit:

« Cela regarde[5] le bon Dieu. »

Puis, sérieusement et remuant ses lèvres comme quelqu'un qui prie ou qui se parle à lui même, il 1? leva sa main droite, la mit sur l'épaule de Jean Valjean, qui ne baissa pas la tête. Sans regarder derrière lui, il rentra dans sa chambre.

Jean Valjean ne fit pas de mouvement. On l'avait reçu, lui, le galérien ! On lui avait donné un souper,[6] 2(et un lit avec de bons draps blancs ! On lui avait parlé avec bonté, sans colère ! On l'avait appelé « frère » ! Ah ça ! vraiment ! Est-ce qu'on pensait à le prendre comme cela ? Ah non !

A quoi bon, les draps ! et tout à coup, il éteignit[7] 25 la lumière d'un coup de sa main et se laissa tomber sur le lit. En un moment, il s'endormit.

---

[1] **Faites une bonne nuit,** Have a good night's sleep.   [2] **lait,** milk.   [3] **tout à coup,** suddenly.   [4] **Ah ça !** I say ! Here ! [5] **(regarder),** to concern.   [6] **(souper),** *n.* supper.   [7] **éteindre,** to extinguish, put out (*light, etc.*).

IX. UN VOLEUR DANS LA NUIT

Vers deux heures du matin, Jean Valjean se réveilla.

Il avait dormi plus de[1] quatre heures. Sa fatigue était passée. Il ne put se rendormir, et il se mit à
5 penser. Beaucoup de pensées lui venaient, mais il y en avait une qui chassait toutes les autres: celle de l'argenterie.

Les quatre couverts d'argent que madame Magloire avait mis sur la table étaient là. Tout près de
10 lui. Ils étaient bien solides, et de vieille argenterie. Ils valaient au moins[2] deux cents francs. Le double de ce qu'il avait gagné en dix-neuf ans... Dans ce placard, dans la chambre voisine...

Trois heures sonnèrent.[3]

15 Jean Valjean rouvrit les yeux. Tout à coup, il se trouva assis sur le bord du lit. Il se leva et écouta; pas un seul bruit dans la maison. Alors, il marcha droit vers la fenêtre. Elle n'était pas fermée; elle donnait sur le jardin. Il regarda le jardin; son mur
20 n'était pas haut, on pourrait monter dessus très facilement.[4]

Ce coup d'œil[5] jeté, il prit son bâton dans sa main droite, et marchant très doucement, il s'approcha de la porte de la chambre voisine, celle de l'évêque.
25 Arrivé à cette porte, il la trouva entr'ouverte.[6]

---

[1] **plus de,** more than. [2] **au moins,** at least. [3] **sonner,** to sound, strike (*of a bell*). [4] **facile,** easy; **facilement,** easily. [5] **coup d'œil,** glance, survey; **ce coup d'œil jeté,** this survey made. [6] **entr'ouverte,** half-open, partly open.

Jean Valjean écouta. Pas de bruit... Personne ne remuait dans la maison.

Il poussa[1] la porte. Elle s'ouvrit un peu. Il attendit un moment, puis poussa la porte une seconde fois, avec plus de force. 5

Cette fois, la porte s'ouvrit toute grande.[2] Mais, en s'ouvrant, elle fit un bruit aigu,[3] comme le cri d'une bête dans la forêt, la nuit.

Ce bruit entra dans le cœur de Jean Valjean comme une épée. Il était terrible, ce bruit, comme le cri 10 d'un homme condamné à mort.

Jean Valjean se crut perdu. Dans un moment, toute la maison se réveillerait et s'écrierait, on allumerait des lampes, les gendarmes viendraient, et... la double chaîne... pour la vie... 15

Il resta où il était, ne faisant pas de mouvement. Quelques minutes* passèrent. La porte restait toujours grande ouverte. Il pouvait regarder dans la chambre. Rien n'y remuait. Il ne pensa plus qu'à finir vite. Il avança et entra dans la chambre de 20 l'évêque.

Comme la chambre était tranquille! Sans faire de bruit, l'homme avança vers le lit. Il s'arrêta tout à coup. Il était près du lit.

Depuis une heure un sombre nuage[4] couvrait le 25 ciel. Au moment où Jean Valjean s'arrêta près du lit, le nuage passa et la lune, comme une lumière qu'on avait éteinte[5] et puis vite rallumée, parut tout

[1] pousser, to push. [2] (grand), wide; s'ouvrit toute grande, opened wide. [3] aigu, sharp, piercing. [4] nuage, cloud. [5] éteint *p.p.* éteindre, extinguished.

19

à coup au-dessus des arbres du jardin. Sa lumière traversa la longue fenêtre étroite de la chambre et vint se fixer* sur la figure pâle* et les cheveux blancs de l'évêque.

5 Il dormait comme un enfant, comme un juste qui avait passé sa vie à faire du bien pour les autres, ses frères. Sa figure était si noble et si pleine de bonté et de douceur que Jean Valjean se sentit le cœur remué par une émotion profonde et étrange. Son
10 œil ne quitta[1] pas la figure du vieux. Dans sa main droite, il tenait toujours son gros bâton. Mais il ne savait plus ce qu'il devait faire.

Un moment, il eut l'idée de frapper . . . de prendre . . . de sauter; puis, il vit, comme dans un nuage, la
15 grande salle du tribunal, la terrible chaîne, le dos que les coups couvraient de sang, la vie sans pitié, sans espoir . . . cinq ans . . . dix ans . . . quinze . . . vingt . . . et ça recommence. « Oui, vous êtes mon frère . . . vous avez souffert . . . de l'espoir . . . demain
20 matin, du lait chaud . . . faites une bonne nuit . . . » Ah çà ! on ne peut pas . . .

Il resta là, les yeux fixés sur la figure de l'évêque. Au bout de[2] quelques minutes, il laissa tomber lentement son bras droit; puis, il leva son bras gauche[3]
25 et ôta[4] son chapeau.[5] Lentement, le bras retomba. Et c'est ainsi qu'il resta longtemps.

Tout à coup, il remit son chapeau, et marcha vite le long du lit, sans regarder l'évêque, vers le placard qu'il voyait dans le mur. Il saisit la clef, la tourna,

[1] **quitter,** to leave. [2] **au bout de,** after. [3] **gauche,** left.
[4] ÔTER, to take off, remove. [5] **chapeau,** hat

20

et ouvrit le placard. La première chose qu'il vit fut
l'argenterie; il la saisit, traversa la chambre, rentra
dans la chambre voisine, ouvrit la fenêtre, mit
l'argenterie dans son sac, traversa le jardin en
courant, monta sur le mur et sauta dans la rue.   5

Quatre heures sonnèrent.

Un homme courait dans la nuit ... courait ...
courait ...

X. ON ACHÈTE UNE ÂME[1]

Le matin, vers six heures, monseigneur Bienvenu
faisait une promenade*[2] dans son jardin. Tout à 10
coup, madame Magloire sortit de la maison et courut
vers lui, en criant:

« Monseigneur, monseigneur, l'argenterie n'est
plus dans le placard ! Grand bon Dieu ! elle est
volée ! c'est cet homme ... je vous l'avais bien dit ! 15
Il est parti sans rien dire et il a emporté l'argenterie.
Maintenant nous n'aurons plus de couverts en argent ! »

L'évêque venait de remettre une plante* sur
laquelle Jean Valjean avait mis le pied en sautant 20
de la fenêtre. Il resta un moment sans rien dire,
puis leva son œil sérieux et dit à madame Magloire
avec douceur:

« Et cette argenterie était-elle à nous ? »

Madame Magloire ne sut que dire. Il y eut encore 25
un moment de silence, puis l'évêque continua:

[1] ÂME, soul.   [2] promenade, walk; faire une promenade, to
take a walk.

« J'avais depuis longtemps cette argenterie. Elle était aux pauvres. Qui était cet homme? Un pauvre, sans doute.* Il a dû en avoir besoin,[1] et il l'a prise. C'est juste. »

5 Quelques minutes après, il déjeunait[2] à cette même table où Jean Valjean s'était assis la veille.[3] Sa sœur ne disait rien, mais madame Magloire parlait toujours de la perte de l'argenterie. Enfin, l'évêque lui dit:

10 « Madame Magloire, à quoi bon regretter cette argenterie? On n'en a pas besoin pour manger son pain et boire son lait. »

Comme le frère et la sœur allaient se lever de table, on frappa à la porte.

15 « Entrez, » dit l'évêque.

La porte s'ouvrit. Un groupe* étrange parut. Trois hommes en tenaient un quatrième par les deux bras. Les trois hommes étaient des gendarmes; le quatrième était Jean Valjean.

20 Le chef des gendarmes s'avança vers l'évêque.

Mais monseigneur Bienvenu s'était approché de Jean Valjean, en s'écriant:

« Ah! vous voilà, mon ami! Je suis heureux de vous revoir. Eh bien, mais! je vous avais donné les
25 chandeliers aussi, qui sont en argent comme le reste* et pour lesquels on vous donnera bien deux cents francs. Pourquoi donc ne les avez-vous pas emportés avec vos couverts? »

---

[1] **Il a dû en avoir besoin,** He must have needed it. [2] **déjeuner,** to breakfast; *n.* breakfast. [3] VEILLE, evening *or* day before.

22

Jean Valjean ouvrit les yeux et regarda l'évêque. Une émotion étrange le rendit sans forces; il ne put rien dire.

« Monseigneur, » dit le chef des gendarmes, « ce que cet homme nous disait était donc vrai ? Nous 5 l'avons rencontré il y a une heure; il courait dans les champs. Il avait cette argenterie dans son sac. Nous l'avons reconnue pour la vôtre, et nous avons cru qu'il l'avait volée. Mais . . . »

« Il vous a dit, » répondit vite l'évêque, « qu'elle 10 lui avait été donnée par un vieux prêtre chez lequel il avait passé la nuit, n'est-ce pas ? Je vois la chose. Et vous l'avez ramené ici ? Vous avez fait votre devoir.[1] Mais, vous avez fait une erreur,* monsieur. » 15

« Ainsi, » répondit le gendarme, « nous pouvons le laisser aller ? »

« Oui, » dit l'évêque.

Les gendarmes libérèrent Jean Valjean, qui laissa retomber ses bras et dit, sans lever la tête: 20

« Est-ce que c'est vrai qu'on me laisse aller ? »

Il parlait comme s'il rêvait et n'entendait pas ce qu'il disait.

« Mon ami, » dit l'évêque, « avant de vous en aller, voici vos chandeliers. Prenez-les. » 25

Il rentra dans la chambre, prit les deux chandeliers d'argent et les apporta à Jean Valjean, qui tremblait* d'émotion.

Jean Valjean prit les deux chandeliers. Il ne paraissait pas comprendre ce qu'il faisait. 30

[1] (**devoir**), *n.* duty.

« Maintenant, » dit l'évêque, « allez en paix. »[1]

Puis, se tournant vers les gendarmes:

« Alors, vous pouvez vous en aller. Je vous remercie de vos bons services. »

5 Les gendarmes s'en allèrent, lentement.

L'évêque s'approcha de Jean Valjean, le regarda un moment dans les yeux, et lui dit d'une voix douce et pleine de bonté:

« N'oubliez pas, n'oubliez jamais que vous m'avez
10 promis d'employer* cet argent à devenir honnête homme. »

Jean Valjean, qui ne se souvenait pas de[2] rien avoir promis, se tint devant lui en silence.

La voix sérieuse de l'évêque continua:

15 « Jean Valjean, mon frère, votre âme n'appartient plus au mal,[3] mais au bien. Vous devez vous donner à faire du bien. Le mal est derrière vous. C'est votre âme que je vous achète.[4] Je la prends aux pensées noires et au désespoir, et je la rends à Dieu.
20 Allez en paix. »

Jean Valjean, tenant toujours aux mains les deux chandeliers d'argent, ne put rien trouver à dire. Tout à coup il se tourna et s'en alla.

L'évêque suivit l'homme des yeux, et ses lèvres
25 formèrent encore ces mots: « C'est votre âme que je vous achète . . . et je la rends à Dieu. »

[1] **paix,** peace. [2] **se souvenir de,** to remember. [3] **n'appartient plus au mal,** no longer belongs to evil. [4] **acheter,** to buy.

XI. PETIT-GERVAIS

Jean Valjean sortit de la ville et se mit à marcher dans les champs, sans faire attention où il allait. Deux fois, quatre fois, il passait sur le même chemin sans le reconnaître.

Il se sentait remué de sensations* nouvelles,[1] étranges, il avait peur . . . Il se fâchait, mais il ne savait pas contre qui il se fâchait. De temps en temps, une douceur étrange se faisait sentir dans son cœur; puis, tout à coup, les vingt terribles années aux galères s'élevaient comme un mur entre elle et lui. Il voyait qu'il n'était plus calme,* que sa main tremblait, sa main dure de galérien !

Il entendait toujours: « Vous m'avez promis de devenir honnête homme . . . vous n'appartenez plus au mal . . . c'est votre âme que j'achète . . . je la rends à Dieu. »

Ah çà ! il fallait donc se défendre dans sa colère contre cette douceur, cette bonté, cet homme qui parlait du bien et du mal ! Il fallait être sur ses gardes ! Mais, que faire contre cette voix qui ne connaissait pas de murs, qui sonnait . . . sonnait . . . sonnait . . . ?

Vers cinq heures du soir, Jean Valjean était assis sous un arbre dans une grande plaine,* à douze[2] kilomètres de Digne. Au loin, on ne voyait que les Alpes. Pas de maison, pas de village. Il était seul, tout seul. Il pensait.

---

[1] nouvelle (m. nouveau), adj. new.   [2] douze, twelve.

Tout à coup, il entendit un bruit joyeux.[1]

Il tourna la tête, et vit venir dans le chemin un garçon[2] de dix ou douze ans qui chantait, en jouant en même temps avec des sous et des pièces[3] d'argent 5 qu'il avait dans la main. Il les jetait en l'air et les recevait tous sur le dos de sa main. C'était toute sa fortune.

Le garçon s'arrêta près de l'arbre sans voir Jean Valjean et fit sauter son argent en l'air. Mais, cette 10 fois, une pièce de quarante sous lui échappa, et vint rouler*[4] aux pieds de Jean Valjean.

Jean Valjean mit le pied dessus. Mais l'enfant avait suivi sa pièce des yeux, et l'avait vu. Il n'eut pas peur; il marcha droit à l'homme et dit:

15 « Monsieur, ma pièce. »

« Ton nom? » dit Jean Valjean.

« Petit-Gervais, monsieur. »

« Va-t'en, » dit Jean Valjean.

« Ma pièce, monsieur, s'il vous plaît. »[5]

20 Jean Valjean baissa la tête et ne dit rien.

« Ma pièce de quarante sous, monsieur. »

L'œil de Jean Valjean resta fixé à terre.

« Ma pièce! » cria l'enfant, « ma pièce blanche! »

Jean Valjean ne paraissait pas l'entendre, quand 25 le garçon le prit par le bras et essaya de lui faire ôter le pied de dessus la pièce.

« Je veux ma pièce, ma pièce de quarante sous! »

L'enfant pleurait. Jean Valjean releva la tête.

---

[1] (joyeu–x, –se), joyous, merry. [2] garçon, boy. [3] pièce, (piece), coin. [4] vint rouler, went rolling. [5] s'il vous plaît, if you please.

Il regarda autour de lui, comme s'il ne pouvait pas
bien voir et cherchait d'où venait ce bruit. Quand il
vit l'enfant tout près de lui, il avança la main vers
son bâton, et cria d'une voix terrible:

« Qui est là ? »   5

« Moi, monsieur, » répondit l'enfant. « Petit-
Gervais ! moi ! Rendez-moi mes quarante sous, s'il
vous plaît ! ôtez votre pied, monsieur, s'il vous plaît. »

« Ah ! c'est encore toi ! » dit Jean Valjean, se levant
tout à coup, mais tenant toujours le pied sur la 10
pièce d'argent. « Va-t'en ! va-t'en ! ou je te frappe ! »

L'enfant le regarda. La peur le saisit et il commença à trembler de la tête aux pieds. Puis il se mit
à courir de toutes ses forces, sans tourner la tête
ni jeter un cri.   15

Le jour finissait . . .

XII. UN MISÉRABLE[1]

Le garçon avait disparu.[2] La nuit approchait.
Jean Valjean n'avait pas mangé depuis la veille;
il sentait le froid du soir.

Avant de se mettre en route, il se baissa pour 20
reprendre à terre son bâton. En ce moment, il vit
la pièce de quarante sous que son pied avait cachée
à ses yeux; elle reposait dans l'herbe.

« Qu'est-ce que c'est que cela ? » se dit-il entre ses
dents.   25

Il fit quelques pas,[3] puis s'arrêta. La pièce d'ar-

---

[1] MISÉRABLE, *n.* scoundrel, wretch. [2] disparu *p.p.* (disparaître), disappeared. [3] pas, *n.* step.

27

gent brillait[1] dans l'herbe et l'attirait comme si elle était un œil ouvert qui le regardait.

Au bout de quelques minutes, il courut vers la pièce d'argent, la saisit, et se mit à regarder au loin dans la plaine, cherchant des yeux tous les points* de l'horizon.* Il ne vit rien. La nuit tombait, la plaine était froide, le ciel était sombre et sans étoiles.

Il dit: « Ah ! » et se mit à marcher vite dans la direction* où l'enfant avait disparu. Après trente pas, il s'arrêta, regarda, et ne vit rien. Alors, il cria de toutes ses forces:

« Petit-Gervais ! Petit-Gervais ! »

Rien ne répondit. Rien.

Jean Valjean se mit à courir dans la direction qu'il avait prise avant de s'être arrêté. De temps en temps, il s'arrêtait pour jeter dans le silence de la plaine son cri: « Petit-Gervais ! Petit-Gervais ! »

Si le garçon l'avait entendu, il aurait eu peur et ne lui aurait pas répondu; mais l'enfant était déjà loin.

L'homme rencontra un prêtre à cheval. Il s'approcha de lui, en disant:

« Monsieur, avez-vous vu passer un garçon ? »

« Non, » répondit le prêtre.

« Un garçon qui s'appelait Petit-Gervais ? »

« Je n'ai vu personne. »

Jean Valjean prit deux pièces de cinq francs dans son sac et les donna au prêtre.

« Voilà, monsieur, pour vos pauvres, » lui dit-il.

« C'était un pauvre garçon de dix ou douze ans, je crois. Un pauvre, vous savez. »

[1] **briller,** to shine, gleam.

« Je ne l'ai pas vu. »

« Alors, pouvez-vous me dire s'il y a quelqu'un qui s'appelle Petit-Gervais dans les villages voisins ? »

« Je ne connais personne de ce nom. Il se peut que le garçon ne soit pas du pays; il y en a beaucoup 5 qui passent par ce chemin pour aller à Digne. »

Jean Valjean chercha dans son sac, prit une troisième pièce de cinq francs et la mit dans la main du prêtre.

« Pour vos pauvres ! » lui dit-il. Puis, d'une voix 10 qui tremblait d'émotion: « Faites-moi arrêter, monsieur; je suis un voleur . . . un voleur ! vous comprenez ! »

Le prêtre le quitta sans répondre, croyant que Jean Valjean avait perdu la raison.[1]   15

Jean Valjean se remit en route. Il marcha longtemps, cherchant des yeux dans la nuit, jetant toujours son cri vers tous les points de l'horizon, cherchant à entendre la réponse qui ne lui arrivait jamais.   20

Deux fois il courut dans la plaine vers quelque chose qui lui paraissait être une personne assise sur terre, mais ce n'était qu'une pierre ou le tronc d'un arbre mort.

Enfin, à un endroit d'où partaient trois chemins, il 25 s'arrêta. La lune s'était levée. Il regarda autour de lui et appela une dernière fois: « Petit-Gervais ! Petit-Gervais ! »

Son cri s'éteignit dans la nuit et le silence, sans même éveiller[2] un écho.*   30

[1] perdre la raison, to lose one's mind.   [2] éveiller = réveiller.

29

Ce fut là son dernier effort. Tout à coup, ses jambes[1] devinrent faibles; il tomba sur une grosse pierre, la tête entre les mains, et cria: « Je suis un misérable . . . un misérable ! »

5   Alors, il se mit à pleurer. C'était la première fois qu'il pleurait depuis dix-neuf ans . . .

Pleura-t-il longtemps ? Que fit-il après avoir pleuré ? Où alla-t-il ? On ne l'a jamais su.

Mais, cette même nuit, un paysan qui arrivait à
10 Digne vers trois heures du matin, vit en traversant la place de l'église un homme qui priait devant la porte de monseigneur Bienvenu.

XIII. LE PÈRE MADELEINE

Vers la fin de l'année 1815, un homme, un inconnu,[2] était venu demeurer dans la ville de Montreuil-
15 sur-Mer.[3]

Il avait eu l'idée de faire quelques changements[4] dans la fabrication* du jais,[5] l'industrie* spéciale* de la ville.

En moins de trois ans, cet homme était devenu très
20 riche, ce qui est bien, et avait enrichi* tous ceux qui étaient autour de lui, ce qui est mieux. Il était étranger au pays. De son origine,* on ne savait rien.

Il paraît que, le jour même où il entra dans la petite ville de Montreuil-sur-Mer, cet inconnu s'était jeté
25 dans une maison en feu, et avait sauvé* la vie à deux

---

[1] **jambe,** leg.   [2] (**inconnu**), unknown.   [3] Industrial city of northwestern France, south of Boulogne; it is no longer on the sea.   [4] **changement,** change.   [5] JAIS, jet (*for bead making*).

enfants qui se trouvaient être ceux du chef des
gendarmes; voilà pourquoi on n'avait pas pensé à
lui demander son passeport. Depuis ce jour-là, on
avait su son nom. Il s'appelait *le père Madeleine*,
c'était un homme de cinquante[1] ans, et il était bon. 5
Voilà tout ce qu'on en pouvait dire.

Les changements qu'il avait apportés dans la
fabrication du jais, enrichirent toute la ville. Si
un homme avait faim et pouvait se présenter à la
fabrique,[2] il y trouvait du travail et du pain. Le 10
père Madeleine employait tout le monde. Il ne
demandait qu'une seule chose: Soyez honnête
homme ! Soyez honnête fille !

Ainsi le père Madeleine faisait sa fortune; mais
ce n'est pas à cela qu'il pensait. Il pensait beaucoup 15
aux autres, et peu à lui. En cinq ans, il avait donné
plus d'un million* de francs à la ville de Montreuil-
sur-Mer, et aux pauvres.

En 1820, on le fit maire[3] de la ville.

On lui avait déjà offert cet honneur, mais il n'avait 20
pas voulu l'accepter. Il ne voulait pas être maire;
il aimait mieux rester *le père Madeleine*.

Ainsi, le père Madeleine était devenu monsieur
Madeleine, et monsieur Madeleine devint monsieur
le maire.   25

Mais il était demeuré aussi simple* que le premier
jour. Il vivait seul. Il soupait seul, avec un livre[4]
ouvert devant lui où il lisait.[5] Il aimait beaucoup à
lire, il disait que les livres sont nos meilleurs[6] amis.

---

[1] **cinquante,** fifty. [2] (**fabrique**), factory. [3] MAIRE, mayor.
[4] **livre,** book. [5] **lire,** to read. [6] **meilleur,** better, best.

31

Il parlait à peu de personnes; il ne riait pas. Le
dimanche, il faisait une promenade dans les champs.

Bien qu'il[1] ne fût plus jeune, il était d'une force
énorme. Il aidait ceux qui en avaient besoin, relevait
5 un cheval qui tombait dans la rue, poussait une voiture.

Les enfants l'aimaient, et couraient après lui quand
il passait par le village.

Il faisait du bien sans le laisser voir.[2] Un pauvre
homme rentrait chez lui le soir et trouvait la porte
10 de sa chambre entr'ouverte; il croyait qu'on l'avait
volé. Il entrait, et la première chose qu'il voyait,
c'était quelques pièces d'argent oubliées sur la table.
C'était le père Madeleine qui avait passé par là.

On disait dans la ville que personne n'entrait ja-
15 mais dans la chambre à coucher de monsieur Madeleine. Un jour, deux dames vinrent à lui et lui dirent:

« Monsieur le maire, voulez-vous bien nous faire
voir votre chambre ? On dit que vous seul savez ce
qu'il y a dans cette chambre. »

20 Monsieur Madeleine les y fit entrer, sans rien dire.

Ce n'était qu'une chambre à coucher, très simple,
avec un lit à draps blancs, une chaise,[3] et une table
sur laquelle il y avait quelques livres et deux vieux
chandeliers d'argent. C'était tout.

25 Le matin du 15 janvier,[4] 1821, monsieur Madeleine
prenait son déjeuner, seul. Comme il mangeait son
pain et buvait son lait chaud, il lisait le journal[5] de
Montreuil-sur-Mer.

[1] **bien que,** although. [2] **sans le laisser voir,** without letting
it be seen. [3] **chaise,** chair. [4] **janvier,** January. [5] **journal,**
newspaper.

Tout à coup, il laissa tomber le journal, jeta un cri de douleur, et se cacha la figure dans les mains.

Il venait de lire dans le journal que monseigneur Bienvenu, évêque de Digne, était mort.

* * *

Loin des Alpes, à Montreuil-sur-Mer, un homme [5] pleurait . . . pleurait . . . les yeux toujours fixés sur deux chandeliers d'argent qui brillaient sur la table de sa chambre à coucher . . .

« C'est votre âme que j'achète . . . je la rends à Dieu . . . » [10]

XIV. ON FAIT DU BIEN

Un matin, monsieur Madeleine passait dans une rue étroite et mauvaise[1] de Montreuil-sur-Mer. Il entendit du bruit et vit un groupe de personnes à quelques pas devant lui. Il y alla.

Un vieil homme, appelé le père Fauchelevent, [15] venait de tomber sous sa voiture, dont le cheval était tombé à terre et s'était fait mal. Le cheval avait les deux jambes de derrière cassées[2] et ne pouvait se relever. L'homme se trouvait pris entre les roues[3] de la voiture, qui pesait[4] sur son corps. On [20] avait essayé de le tirer de dessous[5] la voiture, mais on n'avait pas pu la soulever.[6] On ne savait plus que faire.

[1] **mauvaise** (*m.* **mauvais**), bad, wretched. [2] **casser,** to break. [3] **roue,** wheel. [4] **peser,** to weigh, rest heavily. [5] **dessous,** under, underneath. [6] (**soulever**), to raise up, lift.

M. Madeleine arriva. On lui fit place avec respect.

« Écoutez, » dit-il, « il y a encore assez de place sous la voiture pour qu'un homme s'y glisse et la soulève avec son dos. Y a-t-il ici quelqu'un qui ait
5 du courage et des forces ? Cent francs à gagner ? »

Personne ne remua dans le groupe.

« Deux cents francs, » dit M. Madeleine.

Tous les hommes baissaient les yeux.

« Allons, »[1] dit M. Madeleine, « quatre cents
10 francs ! »

Même silence.

« Ce n'est pas que nous ne le voulons pas, » dit une voix, « mais c'est que nous n'en avons pas la force. »

15   M. Madeleine se tourna et reconnut Javert, inspecteur* de police de la ville.

Javert était le seul homme à Montreuil-sur-Mer qui n'aimait pas M. Madeleine. Chaque fois qu'ils se rencontraient dans une rue, Javert se retournait[2]
20 derrière lui et le suivait des yeux, en se disant: « Mais qu'est-ce que c'est que[3] cet homme-là ? . . . Il est certain que je l'ai vu quelque part ! »[4] Il était comme un œil toujours fixé sur M. Madeleine. Enfin, M. Madeleine s'en aperçut,[5] mais il traitait*
25 Javert comme tout le monde, avec bonté.

« Monsieur Madeleine, » continua Javert, « je n'ai connu qu'un seul homme qui pût faire ce que vous demandez là. »

---

[1] **Allons !** Come now !   [2] (**se retourner**), to turn around.
[3] **que:** disregard here.   [4] **quelque part,** somewhere.   [5] **s'apercevoir** (**de**), to notice.

M. Madeleine fit un mouvement qui n'échappa pas aux yeux froids de l'inspecteur.

« C'était un galérien. »

« Ah ! » dit M. Madeleine.

« Oui, un galérien de la prison de Toulon. »[1]   5

M. Madeleine devint pâle.

En ce moment, le père Fauchelevent, sur qui la voiture pesait de plus en plus[2] et qui souffrait beaucoup, cria :

« Ah ! je meurs ! Ça me casse le corps ! Vite ! 10 quelqu'un ! Ah ! »

M. Madeleine regarda autour de lui :

« Il n'y a donc personne qui veuille gagner quatre cents francs et sauver la vie à ce misérable ? »

Personne ne remua. Javert continua :   15

« Je n'ai jamais connu qu'un homme qui pût faire cela ; c'était un galérien. »

« Ah ! voilà que ça me tue ! » cria le vieux.

Madeleine leva la tête, rencontra l'œil cruel de Javert toujours fixé sur lui, regarda les paysans et 20 sourit[3] tristement. Puis, sans dire un mot, il se glissa sous la voiture.

Il y eut un moment de silence. Une roue avançait vers la tête du mourant.

Tout à coup on vit l'énorme masse de la voiture 25 s'élever un peu. On entendit une voix qui criait : « Vite ! vite ! aidez ! » C'était M. Madeleine qui faisait un dernier effort.*

[1] **Toulon:** foremost arsenal and naval station of France, west of Marseilles, on the Mediterranean. [2] **de plus en plus,** more and more. [3] (**sourire**), to smile.

Tout le monde mit la main à la voiture. Le courage
d'un seul avait donné de la force et du courage à tous.
La voiture fut soulevée par vingt bras. Le vieux
Fauchelevent était sauvé.

5 Le lendemain[1] matin, le vieil homme trouva mille
francs sur la table près de son lit, avec ce mot de la
main de M. Madeleine: « Je vous achète votre
voiture et votre cheval. »

La voiture ne valait plus rien, et le cheval était
10 mort.

XV. JAVERT

Un jour, M. Madeleine écrivait[2] une lettre dans
sa chambre, quand on vint lui dire que l'inspecteur
de police Javert demandait à lui parler.

Javert avait arrêté une jeune fille, Fantine, qui
15 travaillait dans la fabrique de M. Madeleine. Il
ne s'était pas montré juste envers[3] la jeune fille, et
M. Madeleine, comme maire de la ville, avait donné
à Fantine sa liberté. Depuis cette aventure au
bureau de police, M. Madeleine n'avait pas revu
20 l'inspecteur.

« Faites entrer, »[4] dit-il.

Javert entra.

M. Madeleine était resté assis à sa table, sans lever
la tête. Il ne pouvait pas oublier la douleur de la

---

[1] **lendemain,** next (following) day, day after; **le lendemain
matin,** the next morning.   [2] **écrire,** to write.   [3] **(envers),**
toward.   [4] **Faites entrer,** Show him in.

pauvre Fantine. Alors il ne regarda pas Javert et continua d'écrire.

Javert fit deux ou trois pas dans la chambre, et s'arrêta. Monsieur le maire écrivait toujours. Enfin, il s'arrêta, leva la tête, regarda l'inspecteur dans les 5 yeux, et dit:

« Eh bien ! qu'est-ce, Javert ? »

« C'est, monsieur le maire, qu'un acte* coupable a été commis. »[1]

« Quel acte ? »   10

« Un agent a manqué[2] de respect à un magistrat.* Je viens, comme c'est mon devoir, vous le dire. »

« Quel est cet agent ? » demanda M. Madeleine.

« Moi, » dit Javert.

« Et quel est le magistrat auquel on a manqué de 15 respect ? »

« Vous, monsieur le maire. Voilà pourquoi je viens vous demander de me chasser.[3] J'ai commis un acte coupable; il faut que je sois chassé. Monsieur le maire, il y a six semaines, après cette aventure au 20 bureau de police, j'étais très fâché[4] et je vous ai dénoncé* au chef de la police, à Paris. »

M. Madeleine, qui ne riait plus beaucoup, se mit à rire.

« Comme maire qui avait manqué de respect à la 25 police ? »

« Comme ancien[5] galérien ! »

Le maire devint pâle.

---

[1] **commis** *p.p.* (**commettre**), committed. [2] **manquer, to** lack, be wanting, fail. [3] (**chasser**), to discharge. [4] (**fâché**), *adj.* angry. [5] ANCIEN, former.

« Je le croyais, » continua Javert. « Depuis longtemps, j'avais des idées: une ressemblance,* votre
force, l'aventure du vieux Fauchelevent, votre façon[1]
de marcher, enfin, je vous prenais pour un certain
5 Jean Valjean. »

« Un certain ? . . . Comment[2] dites-vous ce nom-
là ? »

« Jean Valjean. C'est un galérien que j'avais vu
il y a vingt ans quand j'étais à Toulon. En sortant
10 de prison, ce Jean Valjean avait volé chez un évêque,
puis il avait commis un autre vol, dans un chemin
public,* sur un petit garçon. Depuis huit ans il
s'était caché, on ne sait comment, et on le cherchait.
Moi, j'ai cru . . . Enfin, j'ai fait cette chose ! Je vous
15 ai dénoncé au bureau de police de Paris. »

M. Madeleine répondit d'une voix qui ne montrait
pas son émotion:

« Et que vous a-t-on répondu ? »

« Que j'étais fou[3] . . . »

20 « Eh bien ? »

« Eh bien, on avait raison. »

« C'est heureux que vous le reconnaissiez ! »

« Il faut bien, puisque le vrai Jean Valjean est
trouvé. »

25 La lettre que tenait M. Madeleine, lui échappa des
mains. Il regarda Javert et dit: « Ah ! »

« Voici l'histoire, monsieur le maire, » continua
Javert. « Il paraît qu'il y avait dans le pays un
misérable qu'on appelait le père Champmathieu.

[1] façon, way, manner. [2] comment, how. [3] fou (f. folle),
mad, crazy.

On n'y faisait pas attention. Il y a quelques semaines, le père Champmathieu a été arrêté pour
un vol de pommes. On met l'homme en prison, à
Arras.[1] Dans cette prison d'Arras, il y a un ancien
galérien nommé[2] Brevet. Monsieur le maire, au 5
moment où ce Brevet voit le père Champmathieu, il
s'écrie: « Eh! mais! je connais cet homme-là.
Regardez-moi donc, mon vieux! Vous êtes Jean
Valjean! » « Qui ça, Jean Valjean? » Le père
Champmathieu ne veut pas comprendre. « Ah! 10
tu comprends bien, » dit Brevet, « tu es Jean Valjean.
Tu as été à la prison de Toulon, il y a vingt ans.
Nous y étions, tous les deux. » On va à Toulon.
Avec Brevet, il n'y a plus que deux galériens qui
aient vu Jean Valjean. Ce sont les condamnés à 15
vie Cochepaille et Chenildieu. On les fait venir à
Arras et on leur fait voir le nommé Champmathieu.
Ils le reconnaissent tout de suite,[3] c'est Jean Valjean.
Même âge,* même air, même façon de marcher,
même homme, enfin, c'est lui. C'est en ce moment-là 20
que je vous ai dénoncé comme étant Jean Valjean.
On me répond que je suis fou et que Jean Valjean
est à Arras au pouvoir de la justice. On me fait
venir à Arras . . . »

« Eh bien ? » dit M. Madeleine. 25

« Monsieur le maire, la vérité[4] est la vérité. Je
regrette, mais cet homme-là, c'est Jean Valjean.
Moi, aussi, je l'ai reconnu. »

[1] **Arras:** large industrial city, north of Paris and east of
Montreuil. [2] **(nommer)**, to name, call. [3] **tout de suite,** immediately, at once. [4] **vérité,** truth.

« Vous êtes certain ? »

« Oui, certain ! Et même, maintenant que je vois le vrai Jean Valjean, je ne comprends pas comment j'ai pu croire autre chose.[1] Je vous demande pardon,
5 monsieur le maire. »

« Assez, Javert, » dit M. Madeleine, tout à coup. « Nous perdons notre temps. Et quand est-ce qu'on va juger cet homme ? »

« Demain, dans la nuit. »

10   « Bon, » dit M. Madeleine, et il fit un signe de main à Javert de le quitter. Javert ne s'en alla pas.

« Qu'est-ce encore ? » demanda M. Madeleine.

« C'est qu'on doit me chasser. »

« Javert, vous êtes un homme d'honneur. Votre
15 erreur n'est pas si grande. Vous êtes digne de monter et non de descendre. Je veux que vous gardiez votre place. »

Mais Javert continua:

« Monsieur le maire, dans un moment de colère,
20 je vous ai dénoncé comme ancien galérien, vous, un homme aimé de tous, un maire, un magistrat ! Ceci est sérieux, très sérieux. Monsieur, pour le bien du service, il faut me chasser ! »

« Nous verrons, » dit M. Madeleine. Et il lui
25 tendit[2] la main. Mais Javert ne la prit pas. Il avança vers la porte, puis se retourna et dit, les yeux toujours baissés:

« Monsieur le maire, je continuerai le service. »

Il sortit.

[1] **autre chose,** anything else, otherwise.   [2] TENDRE, **to** stretch; **tendre la main,** to hold out one's hand.

M. Madeleine resta, écoutant le pas de l'inspecteur qui s'en allait dans la rue.

XVI. LA VOIX

Pour M. Madeleine, ce nom de Jean Valjean, prononcé par l'inspecteur, avait réveillé tout un monde d'idées sombres et d'émotions douloureuses. 5

En écoutant parler Javert, il eut une première pensée, celle d'aller, de se dénoncer, de tirer ce Champmathieu de prison et de s'y mettre.

Puis cela passa, et il se dit: « Voyons! voyons!» Il avait oublié ce premier mouvement de bonté et 10 de justice, et ne voulut que se sauver.

Ce soir-là, M. Madeleine ne soupa pas.

Il rentra dans sa chambre et s'assit sur sa chaise près de la table, voulant être seul avec ses pensées.

Un bruit dans la rue le fit se lever, aller à la porte, 15 et la fermer à clef, comme s'il avait peur qu'il n'entrât[1] encore quelqu'un. Un moment après il éteignit les lumières dans les chandeliers. Il pensait qu'on pouvait le voir.

Qui? 20

Hélas![2] ce qu'il ne voulait pas y laisser entrer, était déjà entré: sa conscience.*

Seul, dans la chambre sans lumière, il se mit à penser:

« Est-ce que je ne rêve pas? Que m'a-t-on dit? 25 Est-il bien vrai que j'aie vu ce Javert et qu'il m'ait parlé ainsi? Que peut être ce Champmathieu?

---

[1] **qu'il n'entrât,** that there would enter. [2] **Hélas!** Alas!

41

Il me ressemble donc? Est-ce possible?* Hier,[1]
j'étais si tranquille! Qu'est-ce que je faisais donc
hier, à cette heure?»

Il alla à la fenêtre et l'ouvrit. Il n'y avait pas
5 d'étoiles au ciel. Il revint s'asseoir près de la table.

La première heure passa ainsi.

Puis, tout à coup, il vit qu'il était seul le maître[2]
de sa vie; que ce terrible nom de Jean Valjean allait
disparaître pour jamais[3]; et que, de cette aventure,
10 le digne monsieur Madeleine sortirait plus respecté*
que jamais. Tout ce qu'il fallait, c'était de laisser
aller aux galères cet inconnu, ce misérable, ce voleur
de pommes, sous le nom de Jean Valjean. Comme
ça, ce serait fini. Fini! Ah! fini pour jamais!
15 A cette pensée, la conscience commença à remuer
dans son cœur. Il ralluma les chandeliers.

«Eh bien!» se dit-il, «de quoi est-ce que j'ai
peur? Je ne suis pas coupable. Tout est fini. Ce
chien de Javert qui me chasse toujours, le voilà
20 content!* Il me laissera tranquille, il tient son Jean
Valjean! Et il ne me faut rien faire. Rien! C'est
Dieu qui a fait ceci, ce n'est pas moi! Comment! je
n'en suis pas content? Mais qu'est-ce qu'il me faut,
donc? Qu'est-ce que je demande? C'est Dieu qui
25 le veut. Et pourquoi? Pour que je continue ce que
j'ai commencé, pour que je fasse du bien ... alors,
laissons faire le bon Dieu!»[4]

Il se parlait ainsi dans sa conscience.

---

[1] **hier,** yesterday.   [2] **maître,** master.   [3] **(jamais),** always,
ever.   [4] **laissons faire le bon Dieu!** let God's will be
done!

Il se leva de sa chaise, et se mit à marcher dans la chambre.

« Eh bien, n'y pensons plus. C'est décidé ! »*

Mais il ne sentit pas de joie. La pensée revenait toujours à sa première idée. 5

Que voulait-il sauver, son corps ou son âme ? Redevenir honnête et bon, être un juste, est-ce que ce n'était pas là ce qu'il avait toujours voulu, ce que l'évêque avait voulu qu'il fût ? Fermer la porte à son passé ?[1] Mais, il ne la fermait pas, il la rou- 10 vrait, en faisant une mauvaise action !* Il redevenait un voleur, parce qu'il volait à un autre sa vie, sa paix, sa place au soleil ![2] il tuait ! il tuait un homme misérable,* innocent. Aller au tribunal, sauver cet homme, reprendre son nom de Jean Valjean, rede- 15 venir par devoir un galérien, c'était vraiment fermer pour jamais l'enfer d'où il sortait ! Il fallait faire cela !

Il prit ses livres, et les mit en ordre. Il écrivit une lettre, la mit dans sa poche, et commença à marcher. 20 Il vit son devoir écrit en lettres de feu: *Va! nomme-toi! dénonce-toi!*

Deux heures sonnèrent.

Il avait froid. Il alluma un peu de feu. Tout à coup, l'idée de se sauver le saisit. Et il recommença 25 à penser:

« Eh bien, cet homme va aux galères, c'est vrai, mais il a volé. Il est coupable. Moi, je reste ici, et je continue. Dans dix ans j'aurai gagné dix mil- lions, je les mets au service du pays, je ne garde rien 30

[1] (passé), *n.* past.   [2] **soleil**, sun.

43

pour moi. Ce n'est pas pour moi ce que je fais!
C'est le bien de tous, de cent familles, de mille
familles; elles sont heureuses; la misère disparaît, et
avec la misère, le vol, les crimes!* Ah çà! Il faut
5 faire attention! Qu'est-ce que je sauve? un vieux
voleur de pommes, un misérable, un homme qui ne
vaut rien! »

Il se leva et se mit à marcher. Cette fois, il lui
paraissait qu'il était content.

10 « Oui, » pensa-t-il, « c'est cela. Ce que je fais,
c'est pour le bien de tous. Je suis Madeleine, je
reste Madeleine. »

Il fit encore quelques pas, puis il s'arrêta.

« Mais, » dit-il, « il y a ici, dans cette chambre, des
15 choses qui pourraient me faire du mal; il faut qu'elles
disparaissent. »

Il chercha dans sa poche et y prit une petite clef.
Avec cette clef, il ouvrit un placard dans le mur,
près de son lit.

20 Il n'y avait dans ce placard que de vieux habits,
un vieux sac, et un gros bâton. Ceux qui avaient
vu Jean Valjean, une nuit d'octobre, où il traversait
Digne, auraient reconnu toutes ces choses. Il les
avait gardées, comme il avait gardé les chandeliers
25 de l'évêque.

Il regarda vers la porte; puis, d'un mouvement
vif, il prit tout, jeta tout au feu et referma le placard.

Tout brûlait. La chambre était pleine de lumière.
30 Dans le feu, près du sac qui brûlait comme une
vieille branche, il y avait quelque chose qui brillait

comme un œil. C'était une pièce de quarante sous !
La pièce de Petit-Gervais.

M. Madeleine ne la vit pas. Tout à coup ses yeux
tombèrent sur les deux chandeliers d'argent.

« Ah ! » pensa-t-il, « tout Jean Valjean est encore 5
là ! Il faut qu'ils disparaissent, aussi ! »

Il prit les deux chandeliers, et remua le feu. Une
minute de plus,[1] et ils étaient dans le feu.

En ce moment, il crut entendre une voix qui
criait:
10

« Jean Valjean ! Jean Valjean ! »

M. Madeleine devint comme un homme qui écoute
une chose terrible.

« Oui ! c'est cela, » disait la voix. « Finis ce que tu
fais ! Détruis[2] ces chandeliers ! oublie l'évêque ! 15
oublie tout ! va, c'est bien ! Voilà un homme qui
sait ce qu'il veut ! Détruis ce Champmathieu, qui
n'a rien fait, sur qui ton nom pèse comme un crime,
qui va être pris pour toi, qui va être condamné, qui
va finir ses jours dans les galères ! C'est bien. Sois 20
honnête homme, toi. Reste monsieur le maire, vis
heureux et aimé ! Pendant ce temps-là, pendant que
tu seras ici dans la joie et la lumière, il y aura quelqu'un qui aura ton habit rouge, qui portera tes
chaînes et ton nom en prison ! Ah ! misérable que 25
tu es ! »

Cette voix était devenue terrible.

M. Madeleine regarda dans la chambre:

« Y a-t-il quelqu'un ici ? » demanda-t-il. Puis il

[1] de plus, more. [2] détruire, to destroy.

45

continua, en riant comme un fou[1]: « Comme je suis fou ! Il n'y a personne ici. »

Il mit les chandeliers sur la table.

Puis il se remit à marcher, mais il marchait comme
5 un petit enfant qu'on laisse aller seul.

Trois heures sonnèrent.

A quatre heures, une voiture dans laquelle il n'y avait qu'une seule personne, un homme tout en noir, partit de Montreuil-sur-Mer et prit la route
10 d'Arras.

---

[1] **fou**, *n.* madman; *adj.* mad, insane.

IDIOM LIST

This list includes only those idiomatic usages and expressions introduced for the first time in *Book Three*. Page and line references are given for their first appearance.

aller: allons ! **34,** 9
approcher: s'approcher de **12,** 1
avoir: avoir (*in giving age*) **1,** 9
  avoir soif **14,** 25
  avoir faim **3,** 18
bien: bien que **32,** 3
bout: au bout de **20,** 23
çà: ah çà ! **17,** 8
chambre: chambre à coucher **14,** 12
chose: autre chose **40, 4**
coup: coup d'œil **18,** 22
  tout à coup **17,** 4
droite: à droite **16,** 4
faire: faire chaud **9,** 27
  faire entrer **36,** 21
  faire froid **2,** 4
  faire une bonne nuit **17,** 2
  faire une promenade **21,** 10
  faire des kilomètres **3,** 21
  que faire ? **2,** 1
  se faire arrêter **0,** 2
grand: grand ouvert **19,** 18
importer: n'importe **15,** 22

jamais: pour jamais **42,** 9
jeter: jeter un cri **11,** 15
jusque: jusqu'à ce que **3,** 5
mettre: se mettre à table **16,** 2
moins: au moins **18,** 11
nouvelle, *n.:* de leurs nouvelles **5,** 26
nuit: la nuit (= at night) **5, 4**
plus: de plus **45,** 8
  de plus en plus **35,** 8
perdre: se perdre **4,** 9
personne: ne . . . personne **12,** 11
part: quelque part **34,** 22
plaire: s'il vous plaît **26,** 19
pouvoir: il se peut **29,** 4
raison: perdre la raison **29,** 15
retourner: se retourner **34,** 19
souvenir: se souvenir de **24,** 12
suite: tout de suite **39,** 18
tendre: tendre la main **40,** 25
tomber: laisser tomber **17,** 26
valoir: valoir mieux **15,** 22

Les Pauvres Gens

Quatre contes par

MAUPASSANT, DAUDET, BAZIN
BORDEAUX

Retold and Edited by

OTTO F. BOND
The University of Chicago

INTRODUCING 257 NEW WORDS
AND 34 IDIOMS

BOOK FOUR

D. C. HEATH AND COMPANY
BOSTON

JE LUI LAISSAI DIX SOUS DE POURBOIRE

ENTRE NOUS . . .

— WHAT! more reading? I thought that *Les Chandeliers de l'Évêque* . . .

— Couldn't stop me! What's this one?

— Something new, a bit more difficult in form and style, and with a wider range of vocabulary: four *contes*, presenting a sharp contrast in French provincial characters and manners, — the Norman (north), the Breton of the Vendée (west), the Provençal (south), and the Savoyard (east). The authors are . . .

— On the title page. Two of them I already know. Do you think that I am up to it?

— Well, *Book Three* brought your word-stock up to 849 words and 130 idioms. *Book Four* will make the total some 1106 words and 164 idioms. Of the 257 new words in *Les Pauvres Gens*, 79 are cognates and 65 are derivatives, leaving a learning burden of only 113 non-inferable words, or one new, non-inferable word per 76 words of running text. Not much trouble there.

— Yes, statistics certainly do help — except in irregular verbs! How about them?

— There are very few new irregular verb forms. You are warned, however, that we are dropping from the end-vocabulary some of the commonest irregular verb forms that have occurred in the preceding books of the series. You doubtless know them well enough, by this time.

— Very likely, but the verb tenses are still a bit puzzling, at times.

— That is our main concern in *Les Pauvres Gens*. The rapid shift in these short stories from narration to description to dialogue necessitates shifting in tense usage, and results in a varied and somewhat more complex literary style.

— Thanks for the tip. Maupassant . . . hm!

NOTE

New words and expressions, on first occurrence in the text, are annotated and explained at the bottom of the page, unless cognate. Cognates, dependable in the given context, are asterisked, and are omitted from the end-vocabulary. Derivatives and compounds of words already known or introduced, if not cognate, are given in parentheses at the bottom of the page and explained. Words set in small capitals are outside of the basic vocabulary.

LES PAUVRES GENS

I. MON ONCLE* JULES

(MAUPASSANT)

Un vieux pauvre nous demanda quelques sous, « pour l'amour de Dieu ». Mon camarade Joseph Davranche lui donna cent sous. Je fus surpris.[1] Il me dit:

— Ce misérable m'a rappelé une histoire que je 5 vais te dire, et que je n'oublierai jamais. La voici:

Mes parents* étaient nés[2] au Havre[3] et c'est là qu'ils habitaient.[4] Nous n'étions pas riches. Nous avions assez pour vivre, nous étions honnêtes, voilà tout. Mon père travaillait, et ne gagnait pas beau- 10 coup. J'avais deux sœurs.

Ma mère souffrait beaucoup des conditions où il nous fallait vivre, et elle faisait souvent[5] des reproches* à son mari. Le pauvre homme les recevait en silence. Il se passait la main sur les yeux comme 15 s'il souffrait de quelque douleur, et il ne répondait rien. Cela me rendait très malheureux.[6]

On faisait beaucoup de petites économies[7]; on

---

[1] **surpris** *p.p.* **surprendre,** surprised. [2] **né** *p.p.* **naître,** born. [3] **le Havre:** at the mouth of the Seine, port of entry for many steamship lines from North America. [4] **habiter,** to inhabit, dwell (live) in. [5] **souvent,** often. [6] (**malheureux,** *f.* **malheureuse**), unhappy. [7] **économie,** economy; *pl.* savings.

1

n'acceptait jamais un dîner,* pour ne pas être obligé*
de le rendre; on achetait les provisions* à bas[1] prix.[2]
Mes sœurs faisaient leurs robes elles-mêmes.   Nous
mangions toujours la même chose, une soupe* et du
5 bœuf.[3]   C'est bon, paraît-il, mais j'aurais mieux
aimé quelquefois,[4] manger pour le dîner autre chose
que de la soupe et du bœuf.

Chaque dimanche nous allions faire une promenade
le long de la mer.   Mon père mettait ses habits du
10 dimanche, ses gants[5] et son grand chapeau, et offrait
le bras à ma mère qui, dans sa robe du dimanche,
ressemblait à un grand bateau un jour de fête.   Mes
sœurs, prêtes[6] à partir les premières, attendaient;
mais, au dernier moment, on trouvait toujours une
15 tache[7] oubliée sur l'habit du père de famille, et il
fallait vite l'ôter avec un morceau de drap et de la
benzine.*

Mon père, gardant son grand chapeau sur la tête,
attendait en silence, pendant qu'on travaillait.   Ma
20 mère ôtait ses gants pour ne pas les rendre sales,[8]
tenait l'habit de mon père d'une main, et de l'autre
frottait de toutes ses forces.

Enfin, on se mettait en route avec cérémonie.*
Mes sœurs marchaient devant, en se donnant le bras.
25 Elles étaient en âge de se marier,* et on les montrait
en ville.   Ma mère marchait entre mon père, qui
était à sa droite, et moi à sa gauche.

[1] **bas** (*f.* basse), low.   [2] **prix**, price; **à bas prix**, at a low
price, cheap.   [3] (**bœuf**), beef.   [4] (**quelquefois**), sometimes.
[5] GANT, glove.   [6] **prête** (*m.* **prêt**), ready.   [7] **tache**, spot,
stain.   [8] **sale**, dirty, soiled.

2

Je me rappelle l'air pompeux* de mes pauvres
parents dans ces promenades du dimanche. Ils
avançaient d'un pas lent, le corps droit, les jambes
raides,[1] la figure sérieuse, comme si c'était une affaire* de grande importance.*   5

Et chaque dimanche, en voyant entrer dans le
port* les grands bateaux qui revenaient de pays
inconnus et lointains, mon père disait toujours la
même chose:

« Hein![2] si Jules était là, dans ce bateau, quelle 10
surprise !»*

Mon oncle Jules, le frère de mon père, était le
seul espoir de la famille. J'avais entendu parler de
lui depuis le temps où j'étais tout petit enfant, et je
croyais que je l'aurais reconnu tout de suite, si je 15
l'avais vu, tant j'avais pensé à lui. Je savais l'histoire de sa vie jusqu'au jour de son départ[3] pour
l'Amérique,[4] bien qu'on ne parlât de cela qu'à voix
basse.

Il ne s'était pas bien conduit. Il avait mangé 20
quelque argent,[5] ce qui est bien le plus grand des
crimes pour les familles pauvres. On sourit quand
c'est un homme riche qui mange son argent; mais
quand c'est un garçon pauvre, qui force* ainsi ses
parents à faire des économies pour vivre, on ne sourit 25
plus. On le condamne comme un mauvais garçon,
un misérable ! Et cela est juste.

[1] **raide,** stiff. [2] **Hein!** Hey! Eh? What? [3] (**départ**), departure. [4] **Amérique,** America. [5] **manger son argent,** to
squander (waste) one's money.

3

Enfin, après avoir mangé l'argent qu'il avait reçu de ses parents, l'oncle Jules avait mangé aussi une grande partie[1] de l'argent de mon père.

On l'avait mis, comme on faisait à ce temps-là, sur 5 un bateau marchand allant du Havre à New-York.

Une fois en Amérique, mon oncle Jules devint marchand de je ne sais quoi. Il écrivit qu'il gagnait un peu d'argent et qu'il espérait[2] rendre bientôt[3] à mon père l'argent qu'il avait pris.

10 Cette lettre produisit[4] dans la famille une émotion profonde. Jules, qui ne valait rien du tout, devint tout à coup un honnête homme, un brave garçon, un vrai Davranche, honnête et bon comme tous les Davranche.

15 Une seconde lettre, deux ans après, nous disait: « Mon cher frère, je t'écris pour te dire que je suis toujours en bonne santé.[5] Je réussis mieux que je n'avais[6] espéré. Je pars demain pour un long voyage* dans l'Amérique du Sud.[7] Je serai peut-
20 être[8] quelques années sans te donner de mes nouvelles. Si je ne t'écris pas, sois tranquille. Je reviendrai au Havre une fois fortune faite. J'espère que ce ne sera pas trop long, et nous vivrons heureux ensemble[9] . . . »

25 Cette lettre était devenue une chose de grand prix pour la famille. On la lisait et on la relisait, on la montrait à tout le monde, on y mettait tout son

---

[1] PARTIE, part. [2] (espérer), to hope. [3] (bientôt), soon.
[4] produire, to produce, create, cause. [5] santé, health. [6] ne: disregard. [7] sud, south. [8] (peut-être), perhaps. [9] ensemble, together.

espoir. On rêvait du temps où on vivrait heureux ensemble avec le brave Jules.

Pendant dix ans, l'oncle Jules ne donna plus de nouvelles; mais l'espoir de mon père devenait de plus en plus grand avec le temps, et ma mère aussi 5 disait souvent:

« Quand ce bon Jules sera là, notre condition changera.* Voilà un Davranche qui a su réussir! »

Et chaque dimanche, en regardant venir de l'horizon les grands bateaux noirs, jetant dans le ciel 10 des nuages de fumée,[1] mon père redisait sa même phrase [2]:

« Hein! si Jules était là, dans ce bateau, quelle surprise! »

Et on s'attendait[3] presque[4] à le voir nous faire un 15 signe de son mouchoir et l'entendre crier:

« Ohé![5] Philippe? »

On avait bâti[6] mille projets[7] sur ce retour* attendu. On espérait même acheter, avec l'argent de l'oncle, une petite maison de campagne[8] près du 20 Havre. C'était un projet dont mon père parlait toujours le dimanche.

Une de mes sœurs avait alors vingt-huit ans; l'autre, vingt-six. Elles n'étaient pas encore mariées; cela devenait très sérieux. 25

Un jeune homme, enfin, se présenta pour la seconde. Un employé,* pas riche, mais honnête. J'ai

---

[1] **fumée,** smoke. [2] **phrase,** sentence, phrase. [3] (s'attendre à), to expect. [4] **presque,** almost. [5] **Ohé!** Ahoy! Halloo! [6] **bâtir,** to build. [7] **projet,** project, plan. [8] **campagne,** country (*in contrast to* **ville,** city).

toujours eu l'idée que la lettre de l'oncle Jules, mon-
trée un soir, avait fini par décider[1] le jeune homme.

On l'accepta vite, et il fut décidé qu'après le
mariage toute la famille ferait ensemble un petit
5 voyage à Jersey.[2]

Jersey est l'idéal* du voyage pour les gens pauvres.
Ce n'est pas loin; on passe la mer dans un bateau et
on est en terre étrangère,[3] parce que Jersey appartient à l'Angleterre.   Ainsi, un Français, avec
10 deux heures de voyage en mer, peut s'offrir la vue[4]
d'un pays étranger, tout près de chez lui.   Ce voyage
de Jersey devint notre rêve[5] de tous les moments.

On partit enfin.   Je vois cela comme si c'était
d'hier.   Le bateau contre le quai[6]; mon père, très
15 attentif,* regardant des hommes qui mettaient nos
bagages* à bord[7]; ma mère, anxieuse,* ayant pris
le bras de ma sœur non mariée, qui paraissait perdue
depuis le départ de l'autre; et les nouveaux mariés,[8]
qui restaient toujours derrière les autres, ce qui me
20 faisait souvent tourner la tête.

Nous voici à bord, et le bateau, quittant le quai,
s'en alla sur une mer tranquille.   Nous regardions la
ville disparaître, heureux et fiers[9] comme tous ceux
qui voyagent peu.

25 Mon père prenait son air pompeux du dimanche.

---

[1] **décider,** to persuade, convince, (decide).   [2] **Jersey:**
largest and southernmost of the Channel Islands, off the
coast of Brittany.   [3] **étranger** (*f.* **étrangère**), foreign.   [4] (**vue**)
f. sight, view.   [5] (**rêve**) *m.* dream.   [6] QUAI, wharf, quay.   [7] **à
bord,** on board (ship).   [8] **les nouveaux mariés,** the newlyweds.   [9] **fier** (*f.* **fière**), proud.

6

On avait, le matin même, ôté toutes les taches de son habit noir, et on respirait[1] autour de lui cette odeur de benzine des jours de promenade, qui me faisait reconnaître les dimanches.

Tout à coup, il vit deux dames élégantes* à qui deux messieurs[2] offraient des huîtres.[3] Un vieux pauvre ouvrait les huîtres d'un coup de couteau[4] et les passait aux messieurs, qui les donnaient aux dames. Elles mangeaient les huîtres d'une façon délicate, en tenant les coquilles[5] sur un mouchoir et en avançant les lèvres pour ne pas tacher[6] leurs robes. Puis, elles buvaient l'eau d'un petit mouvement rapide* et jetaient la coquille à la mer.

Mon père fut attiré par ce spectacle.* Il trouva élégant de manger des huîtres sur un bateau en marche.[7] Il s'approcha de ma mère et de mes sœurs en demandant:

« Voulez-vous que je vous offre quelques huîtres ? »

Ma mère ne répondait pas; elle pensait à l'argent qu'il fallait payer. Mais mes deux sœurs acceptèrent tout de suite. Enfin, ma mère dit:

« J'ai peur de me rendre malade. Offre ça aux enfants seulement, mais pas trop ! »

Puis, se tournant vers moi, elle continua:

« Mais Joseph, il n'en a pas besoin; il ne faut pas gâter[8] les garçons. »

Je restai donc près de ma mère, trouvant cette

[1] **respirer,** to breathe. [2] (**messieurs**) = *pl.* **monsieur.**
[3] HUÎTRE, oyster. [4] **couteau,** knife. [5] COQUILLE, shell.
[6] (**tacher**), to spot, stain. [7] (**marche**), motion. [8] **gâter,** to spoil, ruin.

7

action très injuste.* Je suivais de l'œil mon père,
qui conduisit pompeusement ses deux filles et son
gendre[1] vers le vieux pauvre. Les deux dames
venaient de partir, et mon père faisait voir à mes
5 sœurs comment il fallait manger les huîtres sans
laisser couler[2] l'eau. Il voulut même leur donner
l'exemple,* et il prit une huître. En essayant d'imi-
ter* les dames, il laissa couler toute l'eau sur son
habit, et j'entendis ma mère qui disait:

10   « Il ferait mieux de se tenir tranquille. »[3]

Mais, tout à coup, mon père me parut très anxieux.
Il alla jeter la coquille à la mer, se retourna, regarda
sa famille autour du pauvre, et, très vite, il vint vers
nous. Il me paraissait très pâle, avec des yeux
15 étranges. Il dit à voix basse à ma mère:

« C'est extraordinaire* comme cet homme qui
ouvre les huîtres ressemble à Jules. »

Ma mère, qui ne paraissait pas comprendre, demanda:

20   « Quel Jules? . . . »

« Mais . . . mon frère . . . Si je ne le savais pas en
Amérique, je croirais que c'est lui. »

« Tu es fou! Du moment que[4] tu sais bien que
ce n'est pas lui, pourquoi dire ces choses-là? »

25   Mais mon père continua:

« Va donc le voir, Clarisse; j'aime mieux que tu le
voies, de tes propres yeux. »

---

[1] GENDRE, son-in-law.   [2] **couler,** to drip, flow.   [3] **se tenir
tranquille,** to stand still, keep quiet.   [4] **Du moment que,**
Seeing that.

Elle se leva et alla vers le groupe. Moi aussi, je regardais l'homme. Il était vieux, sale, et ne levait pas les yeux de son travail.

Ma mère revint. Je vis qu'elle tremblait. Elle dit très vite : 5

« Je crois que c'est lui. Va donc demander si c'est lui au capitaine.* Mais, sois prudent,* pour que ce misérable ne nous retombe pas sur les bras,[1] maintenant ! »

Mon père s'en alla, mais je le suivis. Je sentais en 10 moi une émotion étrange.

Le capitaine, un grand homme à longue barbe,[2] avait un air important,* comme s'il était le maître d'un grand bateau qui partait pour l'Amérique du Sud. Mon père lui parla avec cérémonie, en lui 15 faisant beaucoup de questions :

« Quelle était l'importance de Jersey ? Ses industries ? Les conditions du travail ? etc., etc. »

On aurait cru qu'il parlait des États-Unis[3] d'Amérique. 20

Puis, on parla du bateau qui nous portait ; puis, on commença à parler des hommes. Mon père, enfin, d'une voix pleine d'émotion, lui demanda :

« Vous avez là un vieux pauvre qui ouvre des huîtres ; savez-vous quelque chose sur cet homme- 25 là ? »

Le capitaine répondit vite :

« C'est un vieux vagabond* français que j'ai

[1] **pour que . . . sur les bras,** so that this wretch may not fall back upon our hands. [2] BARBE, beard. [3] **États-Unis,** United States.

9

trouvé en Amérique l'an dernier, et que j'ai ramené
en France. Il a, paraît-il, des parents[1] au Havre,
mais il ne veut pas retourner près d'eux, parce qu'il
leur doit[2] de l'argent. Il s'appelle Jules . . . Jules
5 Darmanche ou Darvanche, quelque chose comme ça,
enfin. Il paraît qu'il a été riche, un moment, en
Amérique, mais vous voyez qu'il a tout perdu
maintenant. »

Mon père devenait faible et pâle comme une per-
10 sonne malade; il dit:

« Ah ! ah ! très bien . . . très bien . . . Je comprends
. . . Je vous remercie beaucoup, capitaine. »

Et il s'en alla.

Il revint près de ma mère. Il était si pâle qu'elle
15 lui dit:

« Assieds-toi; on va s'apercevoir de quelque
chose. »

Il tomba sur le banc, en disant faiblement:

« C'est lui ! c'est bien lui ! »

20 Puis, il demanda:

« Qu'allons-nous faire ? . . . »

Elle répondit vivement[3]:

« Il faut emmener les enfants, et tout de suite.
Puisque Joseph sait tout, il va aller les chercher. Il
25 faut prendre garde que notre gendre ne s'aperçoive
de rien. »

Mon père disait toujours:

« Quelle catastrophe !* quelle catastrophe ! »

---

[1] PARENT, relative, (parent). [2] (devoir), to owe (*money*)
[3] (vivement), quickly.

Ma mère continua, devenue tout à coup en colère:

« J'ai toujours pensé que ce voleur ne ferait rien, et qu'il nous retomberait sur les bras ! Comme si on pouvait attendre[1] quelque chose d'un Davranche !...»

Et mon père passa la main sur ses yeux, comme il faisait sous les reproches de sa femme.

Elle dit:

« Donne de l'argent à Joseph pour qu'il aille payer ces huîtres. Il ne reste qu'une chose, c'est qu'il soit reconnu par ce vagabond. Allons-nous-en à l'autre bout du bateau; il faut que cet homme ne s'approche pas de nous ! »

Elle se leva, et ils s'en allèrent après m'avoir donné une pièce de cent sous.

Mes sœurs, surprises, attendaient leur père. Elles me firent des questions. Je leur dis que maman* s'était trouvée un peu malade, et je demandai à l'homme:

« Combien[2] est-ce que nous vous devons, monsieur ? »

Je voulais dire: mon oncle.

Il répondit:

« Deux francs cinquante. »

Je lui donnai mes cent sous, et il m'en rendit cinquante.

Je regardais sa main, une pauvre main, dure, vieille; je regardais sa figure, une vieille et misérable figure, triste, et je me disais:

---

[1] (attendre), to expect.   [2] combien, how much (many).

11

« C'est mon oncle, le frère de papa,* mon oncle ! »

Je lui laissai dix sous de pourboire.[1]   Il me remercia:

« Dieu vous garde, mon jeune monsieur ! » avec la
5 voix d'un pauvre qui reçoit de l'argent.   Je pensai
qu'il avait dû demander de l'argent[2] dans les rues
là-bas.[3]

Mes sœurs me regardaient.   Elles ne comprenaient
pas pourquoi je lui avais donné ce pourboire.

10   Quand je rendis les deux francs à mon père, ma
mère, surprise, demanda:

« Trois francs ? . . . Ce n'est pas possible. »

Je dis d'une voix calme:

« J'ai donné dix sous de pourboire. »

15   Ma mère devint un peu fâchée et me regarda dans
les yeux:

« Tu es fou !   Donner dix sous à cet homme, à ce
vagabond . . . »

Elle s'arrêta sous un regard[4] de mon père, qui
20 montrait son gendre.

Puis on ne dit plus rien.

Devant nous, à l'horizon, un nuage blanc sortait
de la mer.   C'était Jersey.

Quand on approcha du quai, un désir* fort me vint
cœur de voir encore une fois mon oncle Jules, de
m'approcher, de lui dire quelque chose de tendre.*

Mais, comme personne ne mangeait plus d'huîtres.

(pourboire), tip;   [2] qu'il avait dû demander de l'argent,
that he must have had to beg.   [3] là-bas, yonder, over there
(= in America).   [4] (regard), look, glance, (regard).

12

il avait disparu, descendu sans doute à l'intérieur*
du bateau.

Et nous sommes revenus par un autre bateau, pour
ne pas le rencontrer.

Je n'ai jamais revu le frère de mon père !　　　　　*5*

Voilà pourquoi tu me verras quelquefois donner
cent sous aux vagabonds.

Guy de Maupassant, *Miss Harriett*
Paris, Hachette, 1884

II. LE QUATRIÈME PAUVRE

(Bazin)

La mère chantait, pour endormir son enfant, une
de ces vieilles chansons venues on ne sait d'où,
comme les oiseaux qui passent dans le ciel, à la fin 10
de l'été.

Devant elle, en face de la maison, un champ descendait, pauvre, étroit, presque sans herbe.　Plus
loin, il y avait des dunes* de sable,[1] les unes tout
comme les autres, sans arbre ni maison, désertes,[2] où 15
le vent[3] courait et faisait un petit bruit sec,[4] en jetant
des grains* de sable contre l'herbe sèche.　Enfin, plus
loin encore, dans les beaux jours, on apercevait la
mer comme une bande* de lumière, la mer déserte
comme les dunes, sans bateaux.　　　　　　　20

[1] **sable**, sand.　[2] **déserte** (*m.* **désert**), deserted.　[3] **vent**,
wind.　[4] **sec** (*f.* **sèche**), dry, sharp (*sound*).

13

Le pays était triste, mais Julienne l'aimait, parce qu'elle y était née. Derrière la ferme,[1] il y avait quelques champs, séparés* les uns des autres par des murs en pierres sèches, dans lesquels poussaient[2] assez bien l'avoine[3] et les pommes de terre.[4] En faut-il beaucoup plus pour être heureux? Julienne ne le pensait pas, ou elle ne se l'était peut-être jamais demandé.

Elle aimait sa Renardière,[5] la dernière ferme dans les sables. Elle aimait ses quatre enfants, son mari, qu'elle avait pris pauvre et qui travaillait durement sur ses terres, ou tirait la seine[6] avec son fils.

Elle avait beaucoup de pitié pour les vagabonds qui passaient, et, avec son mari, ses enfants, la Renardière et une pitié comme celle-là, Julienne avait raison d'être heureuse.

Il faisait ce soir un mauvais temps.[7] Le soleil se couchait,[8] mais on ne pouvait pas le voir. Une pluie[9] fine* tombait par la cheminée[10] et coulait sur le pot au-dessus du feu. C'était une pluie froide, un peu triste.

L'homme était en mer,[11] où il tirait la seine avec son fils Hervé. La femme tenait l'enfant le plus jeune dans ses bras et chantait, en attendant leur retour.

---

[1] **ferme,** farm, farmhouse. [2] (**pousser**), to grow. [3] AVOINE, oats. [4] **pomme de terre,** potato (*lit.* earth apple). [5] **Renardière,** " Fox-burrow "; the custom of naming fields and farms is common in France. [6] SEINE, (triangular) fishing net. [7] (**temps**), weather; **faire un mauvais temps,** to be bad weather. [8] (**se coucher**), to set (*of the sun*). [9] **pluie, rain.** [10] **cheminée,** chimney, fireplace. [11] **en mer,** at sea.

C'était une vieille chanson qu'on chante quand on attend quelqu'un, et qui va sans fin:

> « Il n'est pas encorc sept heures et demie[1];
> Comme le vent qui donne[2] ici,
> Comme le vent qui frappe et donne,   5
> Comme la pluie qui tombe aussi. »

Un bruit, là, dans le jardin, tout près de la maison, fit lever Julienne. Elle écouta. Un seul pas sonnait dans la cour.[3]

« Ce n'est pas eux, » pensa-t-elle.   10

Et un homme qui portait un sac au bout d'un bâton apparut, comme une ombre[4] noire, dans l'ouverture[5] de la porte.

Elle eut peur, parce qu'elle était seule. Elle ne voyait que deux yeux sombres, qui la regardaient, et 15 une barbe blanche, de laquelle coulaient encore des gouttes[6] de pluie.

« Quc demandez-vous ? » dit-elle. « Une place pour la nuit ? »

L'homme fit un signe de la tête pour toute réponse. 20

Elle crut le reconnaître. Ils étaient loin des villes et des villages à la Renardière, et ils recevaient souvent pour la nuit les voyageurs[7] et les vagabonds.

« Allez dans la grange[8]; mettez-vous dans la paille,[9] à terre. Il fait chaud dans la grange. Mon mari vous 25 apportera la soupe dans un moment, je l'entends qui vient. »

---

[1] **demie** (*m.* demi), half.   [2] (**donner**), to strike, blow (*wind*), deal a blow.   [3] **cour**, yard, court.   [4] **ombre**, shadow. [5] (**ouverture**), opening.   [6] **goutte**, drop.   [7] (**voyageur**), traveler.   [8] GRANGE, barn.   [9] PAILLE, straw.

Elle n'entendait que son cœur qui disait: « Viens! viens!» Puis elle pensa à son enfant, et se mit à suivre la chanson tranquille des heures après le départ du vagabond.

5
    « Il n'est pas encore huit heures et demie;
    Comme le vent qui donne ici,
    Comme le vent qui frappe et donne,
    Comme la pluie qui tombe aussi. »

Julienne avait la figure maigre,[1] jeune encore, et des 10 yeux noirs qui pleuraient facilement, devenaient vite anxieux, et ne riaient pas souvent. Son mari faisait presque toujours ce qu'elle voulait. Il pensait que cette maison était un abri[2] profond où sa femme mettait de l'ordre, sans repos[3] et sans bruit. Et lui, 15 toujours dehors,[4] dans le vent des dunes ou de la mer, quand il rentrait, il montrait ses dents blanches.

L'enfant s'endormit. Le vent donna un grand coup contre la porte, et à ce moment la mère devint une pauvre femme seule, anxieuse.

20 Pour ne pas avoir peur, elle se leva, mit l'enfant endormi[5] sur le lit, et se mit à préparer* le souper. Une demi-heure passa; la nuit tombait. Tout à coup:

« Nous voilà!» dit l'homme. « J'ai faim. Mau- 25 vaise pêche!»[6]

Il entra. Sa longue tête se baissa dans l'ombre de la chambre pour chercher la mère, qui était assise

[1] MAIGRE, thin, lean, meager.   [2] abri, shelter, protection. [3] (repos), rest.   [4] DEHORS, outside, outdoors.   [5] (endormi) *adj.* asleep, sleeping.   [6] PÊCHE, fishing, catch.

16

près du feu et qui préparait la soupe. La femme
l'aperçut, fit un signe de tête, sourit au fils qui, derrière lui, essayait de voir aussi.

« Bonsoir, maman ! »

Elle donna un baiser au grand fils, dont la figure
était mouillée[1] de sel[2] et de pluie, et alluma la lampe.

« C'est la soupe pour demain, » dit l'homme. « La
mer est trop forte; mangeons. »

Ils prenaient place autour de la table, et le fils fermait la porte, quand la porte fut poussée de l'ex- 10
térieur.*

« Peut-on entrer ? » demanda une voix.

« Où se couche-t-on ici ? » demanda une autre.

« Dans les fossés de mes champs ! » cria l'homme.
« Voilà des vagabonds qui ne savent pas parler ! Où 15
se couche-t-on ! Est-ce que je tiens une auberge ? »

Dans l'ouverture de la porte, et noires contre le ciel
du jour finissant, deux ombres attendirent l'approche* du paysan. Les voyageurs le croyaient trop
grand et trop solide; ils baissèrent la voix. 20

« Vous ne voudriez pas nous laisser dehors par ce
mauvais temps ? » dit l'un d'eux.

« En vérité, oui ! On ne voit que des vagabonds
sur les routes où il n'y a pas de travail à faire ni à
prendre. Et il faut travailler pour leur donner ce 25
qu'ils veulent ! Allez coucher dans les pierres au
bord de la mer; les poissons[3] ne vous feront pas de
mal. »

« J'en ai déjà donné abri à un homme dans la

---

[1] **mouiller,** to moisten, wet. [2] **sel,** salt. [3] **poisson,** fish.

grange, » dit Julienne. « Elle est assez grande pour trois, je crois. »

Son mari s'était retourné, fâché, s'était remis à table, et mangeait sans rien dire.

5   Le vent courait dans les dunes et donnait contre la maison. On entendait les habits des vagabonds frotter sur le mur.

« Fais-leur la charité,*»[1] continua Julienne.

« Ils sont trop, à la fin![2] Tous les jours, ouvrir sa 10 maison, donner sa paille, dont les bêtes ne veulent plus après, et donner la soupe chaude! Non! c'est trop souvent!»

Mais, comme il disait cela en mangeant toujours, et comme à regret,[3] Julienne dit:

15   « Bonnes gens, allez le long de la maison et au fond de la cour, entrez dans notre grange et séchez-vous.[4] Vous êtes tout mouillés. Bientôt j'irai vous servir. »

Quand le paysan, sa femme et son fils Hervé furent 20 seuls dans la maison, avec les trois enfants qui dormaient dans la chambre voisine, ils se mirent à parler de la pêche, qui était mauvaise, et de l'avoine qui avait mal réussi. Depuis deux mois les deux hommes tiraient la seine, mais les poissons devenaient de plus 25 en plus rares.* Quelquefois ils pêchaient[5] à la ligne sur les rochers, mais les quelques poissons qu'ils y

---

[1] **faire la charité,** to give alms, be charitable.   [2] **à la fin!** after all!   [3] **comme à regret,** as if reluctantly.   [4] **(sécher),** to dry.   [5] PÊCHER, to fish; **pêcher à la ligne,** to fish with a line.

prenaient, n'avaient de valeur que pour les pêcheurs.[1]
Personne n'en voulait.

« Écoute, Julienne, » dit le paysan, « si cela continue, je ne pourrai plus payer la ferme, et le maître nous chassera. Tu as le cœur trop tendre pour les vagabonds; à partir de demain,[2] je leur fermerai la grange, et, s'ils ne s'en vont pas, je courrai sur eux avec Hervé. »

La mère regarda les deux hommes d'un air de reproche, prépara une seconde soupe avec ce qui restait dans le pot, des pommes de terre et des morceaux de pain sec, et sortit avec le pot fumant[3] dans la nuit. Elle avait pris une lanterne* qu'elle tenait de sa main gauche. Comme elle allait le long de la maison, dans la cour, elle vit devant elle une forme* noire.

Elle s'arrêta, et retint[4] un cri. Elle pensa que c'était un pauvre encore qui venait demander un abri, et elle éleva un peu la lanterne pour mieux voir.

Un vieux, dont la barbe et les habits misérables étaient tout mouillés de pluie, et qui portait[5] un chapeau comme ceux qu'on porte depuis longtemps dans la Vendée,[6] s'avança dans la lumière, et dit:

« Pour l'amour de Dieu, maîtresse[7] Julienne, ne me laissez pas coucher dehors ! »

« Les autres pauvres ne parlent plus comme vous, »

[1] (PÊCHEUR), fisherman. [2] **à partir de demain,** from tomorrow on. [3] (**fumer**), to smoke. [4] (**retenir**), to retain, hold (keep) back. [5] (**porter**), to wear. [6] la **Vendée:** a *département* on the northwest coast of France, south of the Loire; capital, La Roche-sur-Yon. [7] (**maîtresse**), mistress.

dit Julienne. « Je vous donnerai abri donc, mais ce sera la dernière nuit. A partir de demain, mon mari fermera la grange. Comment vous appelez-vous ? »

« La Misère. »

5   Elle le regarda, et fut étonnée[1] de voir qu'il avait les yeux très bleus et très doux, comme un enfant. Le vent frappait contre son corps et la pluie tombait, mais la femme ne désirait* pas rentrer dans la maison. Elle demanda:

10   « Je ne sais pas si vous dites votre vrai nom. Mais d'où venez-vous, la Misère ? »

« De partout. »[2]

« Vous reçoit-on bien ? »

« De moins en moins. »

15   « Alors pourquoi marchez-vous toujours, sans savoir où vous trouverez abri ? »

« Pour que le cœur des hommes ne se ferme pas tout à fait.[3] Quand je passe, il n'y a que moi; quand je suis passé, Dieu donne de sa charité. »

20   Maîtresse Julienne, de la Renardière, trouva que ce pauvre avait l'air d'un des apôtres[4] qui sont dans les peintures[5] dans l'église de son village, et elle dit, sachant bien que la nuit est pleine de voyageurs qu'on ne connaîtra jamais tous:

25   « Venez, la meilleure place est à droite, au fond; si vous ne trouvez pas assez de paille, je vous permets* d'en prendre encore. »

---

[1] **étonner,** to astonish.   [2] **(partout),** everywhere.   [3] **tout à fait,** wholly, completely.   [4] APÔTRE, apostle.   [5] **peinture,** painting.

Quand les quatre pauvres furent assis autour du pot fumant, dans la lumière de la lanterne, la grande nuit suivit son cours.[1] L'orage devint encore plus fort, et la mer laissait tant de bruit dans le vent qu'on aurait dit qu'elle battait la maison et voulait la détruire.

Mais Julienne rentra contente, et dit:

« Ils sont quatre maintenant, comme nos enfants. »

$$* \quad * \quad *$$

Au point du jour, le père et le fils se levèrent pour prendre soin[2] des bêtes et voir si le temps permettait 10 d'aller en mer.

Mais ils n'avaient pas encore traversé la cour, quand Julienne se mit à crier:

« Venez vite ! à moi ! quel malheur ! »[3]

Ils furent en un instant près d'elle, dans la seconde 15 chambre. Elle pleurait devant un placard ouvert et vide,[4] où on avait mis les économies de l'année.

L'homme devint fou de rage. Il se tourna vers sa femme et lui fit des reproches terribles:

« N'est-ce pas ta faute ?[5] Pourquoi reçois-tu des 20 voleurs ? Te voilà perdue par ton bon cœur stupide !* Cours après eux maintenant ! Nous sommes perdus, et c'est toi qui l'as voulu, avec ta maudite charité, ta bonté pour ces misérables, ces sales vagabonds ! »

Le petit Hervé était tout pâle de voir pleurer sa 25 mère et se fâcher son père.

Ce ne fut qu'après une demi-heure que le paysan

---

[1] (cours), course. [2] soin, care. [3] malheur, misfortune. [4] vide, empty. [5] (faute), fault.

pensa à chercher si on ne trouverait pas les voleurs.
Il traversa la cour, prit un gros bâton, et entra dans
la grange. La femme et le garçon le suivaient.

Sur la paille, il n'y avait que le quatrième pauvre,
5 qui dormait.

« Ha ! Debout !¹ misérable ! Où sont les autres ? »

La Misère ouvrit les yeux, sans faire de mouvement. Sa figure était pâle comme la paille d'avoine
où il était couché.

10 « Tu n'as pas l'air de comprendre, misérable ! Où
sont les autres ? »

Mais le regard de ce pauvre était si clair* et si profond, que l'homme crut voir la mer lointaine, qu'il
voyait tous les jours du bord de son bateau. Bien
15 qu'il fût très fâché, il ne voulut pas toucher* le
vagabond, et dit:

« Je ne dis pas que tu es un voleur; je ne te ferai
pas de mal. Dis-moi seulement où sont les autres qui
ont volé. »

20 « Voilà bien une demi-heure que j'ai entendu courir
devant la porte, maître de la Renardière. Mais ils
couraient si vite que vous ne les retrouverez pas. »

Puis, toujours couché et calme, il demanda:

« Que t'ont-ils volé ? Ton bonheur ? »²

25 « Non. »

« Un de tes enfants ? »

« Non. »

« Ta conscience d'honnête homme qui a toujours
bien travaillé et bien fait son devoir ? »

¹ **debout,** upright, standing; **debout!** get up! ² **bonheur,** happiness.

22

« Non.   Ils m'ont pris cent cinquante francs d'argent que j'avais mis dans mon placard. »

« Alors, » dit le pauvre, « tu n'as perdu que ce qui peut être trouvé.   Que me donneras-tu si je te fais retrouver ce qu'on t'a pris ? »

« Choisis, »[1] dit le paysan.

« Je choisis la clef de ta grange, » dit la Misère.

Le maître de la Renardière regarda la grosse clef dans la serrure.[2]

« C'est pour y revenir ? » dit-il, enfin.

« Moi, ou d'autres; parce que tu perdras toujours plus à fermer ton cœur et ta grange qu'à les ouvrir l'un et l'autre.   Prends ta seine, ta plus grande, et suis-moi. »

Il se leva.   Le paysan, qui était grand, vit que ce pauvre était encore plus grand que lui.   Sans attendre plus longtemps, aidé de sa femme et de son fils, il emporta la seine.

Tous quatre, par les dunes où l'herbe était mouillée et fumait au soleil du matin, ils arrivèrent au bord de la mer.   La mer roulait sur les sables des vagues[3] d'un bleu pâle, aux bords d'argent.   Très lentement, ils s'avançaient dans l'eau.   La Misère ne disait rien, et regardait le fond des vagues où l'eau était claire. Enfin, il dit:

« Tendez la seine. »

Le paysan et son fils entrèrent plus loin dans la mer et tendirent la seine.   Pendant qu'ils la tiraient avec effort, le pauvre monta sur la dune voisine et s'y tint

---

[1] **choisir,** to choose.   [2] SERRURE, lock.   [3] VAGUE, wave.

debout.¹ Les deux hommes, tenant des deux mains les bâtons de la seine, le corps jeté en avant,² avançaient lentement vers la terre, comme si, derrière eux, quelque chose les retenait. L'eau restait claire et
5 paraissait vide. Tout à coup, les pêcheurs, maintenant retournés vers la mer et baissés, saisirent les cordes et tirèrent la seine de toutes leurs forces.

Bientôt ils jetèrent un cri. Dans la seine, ce n'était qu'une masse remuante de poissons qui sautaient,
10 battaient l'eau, frappaient contre les cordes, en essayant de s'en échapper. Sur le sable, ils formèrent un gros tas,³ comme un rocher d'argent.

« Cours à la maison, Julienne, amène le cheval et la voiture; il y en a une voiture pleine !⁴ Ah ! quelle
15 pêche ! »

Le paysan et son fils, pour ne rien laisser perdre, couraient de droite et de gauche, et saisissaient les poissons qui essayaient de s'échapper de la seine.

Quand ils se relevèrent pour chercher la Misère, ils
20 ne virent personne sur la dune.

* * *

A partir de ce jour-là, la grange de la Renardière est restée ouverte. La clef est toujours dans la serrure. Jamais le paysan ne compte⁵ plus les vagabonds que sa femme y reçoit, et il y en a beaucoup,
25 dans les mois d'hiver⁶ et en ce pays désert.

Quand Julienne raconte⁷ cette histoire à ses en-

¹ se tenir debout, to stand up. ² en avant, forward. ³ tas, heap. ⁴ il y en a une voiture pleine, there is a cart full of them. ⁵ compter, to count. ⁶ hiver, winter. ⁷ raconter, to tell, relate.

fants ou aux enfants des autres, elle finit toujours par dire:

« Mes petits, recevez les pauvres, et n'ayez pas peur s'ils sont beaucoup; ce n'est pas à nous de choisir. Le premier peut être mauvais, le second et le troisième aussi; c'est souvent le quatrième pauvre qui est le bon. »

RENÉ BAZIN, *Contes de bonne Perrette*
Mame, Tours, 1897

III. LE SECRET DE MAÎTRE CORNILLE

(DAUDET)

Francet Mamaï, un vieux joueur[1] de fifre,[2] qui vient de temps en temps passer la soirée[3] chez moi, en buvant du vin chaud, m'a raconté l'autre soir une petite histoire de village que mon moulin[4] a connue il y a vingt ans. L'histoire du brave homme m'a touché, et je vais essayer de vous la redire comme je l'ai entendue.

Imaginez-vous* pour un moment, mes amis, que vous êtes assis devant un pot de vin chaud dans un vieux moulin, et que c'est un vieux joueur de fifre qui vous parle.

*   *   *

[1] (joueur), player. [2] FIFRE, fife. [3] (soirée), evening.
[4] MOULIN, mill: **moulin à vent,** windmill.

Notre pays, mon bon monsieur, n'a pas toujours été un endroit mort comme il est aujourd'hui.[1]

Il y a vingt ans, il s'y faisait une grande industrie.[2] De partout, les gens des fermes nous apportaient leur
5 blé[3] à moudre.[4] Tout autour du village, les collines[5] étaient couvertes de moulins à vent. De droite et de gauche, on ne voyait que des ailes[6] qui tournaient lentement dans le vent au-dessus des arbres, et de longues lignes de petits ânes[7] qui portaient des sacs,
10 montant et descendant le long des chemins. Toute la semaine, c'était plaisir d'entendre au haut des collines le bruit des ailes dans le vent et les cris des meuniers[8] et de ceux qui les aidaient à moudre le blé.

15 Le dimanche, nous allions aux moulins, par bandes. Là, les meuniers payaient le vin. Leurs femmes étaient belles comme des reines, avec leurs belles robes et leurs croix d'or.[9] Moi, j'apportais mon fifre, et jusqu'à une heure avancée de la nuit on y dansait.*
20 Ces moulins-là, voyez-vous, faisaient la joie et la richesse de notre pays.

Mais, pour notre malheur, des gens de Paris eurent l'idée de bâtir un moulin à vapeur[10] sur la route de Tarascon.[11] Tout beau, tout nouveau![12] Bientôt

---

[1] **aujourd'hui,** today. [2] **il s'y faisait . . . industrie,** there used to be a great industry here. [3] BLÉ, wheat, grain. [4] MOUDRE, to grind. [5] **colline,** hill. [6] **aile,** wing, sail (*windmill*). [7] ÂNE, donkey. [8] MEUNIER, miller. [9] **or,** gold. [10] **vapeur,** steam. [11] **Tarascon:** small town north of Marseilles. [12] **Tout beau, tout nouveau!** "A new broom sweeps clean." (All that is new, is beautiful.)

tous les gens des fermes envoyèrent leurs blés aux moulins à vapeur.

Pendant quelque temps les pauvres moulins à vent essayèrent de lutter,[1] mais la vapeur fut la plus forte, et l'un après l'autre, hélas ! ils furent forcés de fermer. 5 On ne vit plus venir les petits ânes. Les belles femmes des meuniers vendirent leurs croix d'or . . . Plus de[2] vin ! plus de danse !* Le vent donnait contre les moulins, mais les ailes ne tournaient plus. Puis, un beau jour, on fit détruire tous ces vieux 10 bâtiments,[3] et on planta* à leur place de la vigne.[4] C'était fini !

Mais, un seul moulin continuait de lutter avec courage sur la colline; c'était le moulin de maître Cornille, celui-là même où nous passons la soirée en 15 ce moment.

*   *   *

Maître Cornille était un vieux meunier, vivant depuis soixante ans dans la farine[5] et très fier de son moulin et de son travail.

Quand on commença à bâtir les moulins à vapeur, 20 il était devenu comme fou. Pendant toute une semaine, on le vit courir dans les rues du village, appelant les gens autour de lui et criant de toutes ses forces qu'on voulait faire mourir le pays avec la farine des moulins à vapeur. 25

« N'y allez pas, » disait-il. « Ces misérables-là,

---

[1] LUTTER, to struggle. [2] **Plus de,** No more. [3] (**bâtiment**), building. [4] **vigne,** vineyard. [5] FARINE, flour.

pour faire le pain, se servent de[1] la vapeur, qui vient du diable,[2] mais moi, je travaille avec les vents, qui viennent du bon Dieu » . . . Mais personne n'écoutait ses belles phrases.

5 Alors, fou de colère, le vieux s'enferma dans son moulin et vécut tout seul comme une bête sauvage. Il ne voulut pas même garder près de lui sa petite-fille[3] Vivette, une enfant de quinze ans, qui, depuis la mort de ses parents, n'avait plus que son grand-père 10 au monde.

La pauvre petite fut obligée de gagner sa vie un peu partout dans les fermes, ou de travailler dans les vignes. Mais son grand-père avait l'air de bien l'aimer, cette enfant-là. Très souvent, il faisait 15 quinze kilomètres par le grand soleil[4] pour aller la voir à la ferme où elle travaillait, et quand il était près d'elle, il passait des heures à la regarder en pleurant . . .

Dans le pays on pensait que le vieux meunier, en 20 renvoyant[5] Vivette travailler dans les fermes, avait voulu garder son argent: et cela ne lui faisait pas honneur de laisser sa petite-fille aller ainsi d'une ferme à l'autre, exposée* à tous les malheurs des jeunes filles qui entrent en service.

25 On trouvait très mal aussi qu'un homme si bien connu que maître Cornille, et qui, jusqu'alors, s'était respecté, s'en allât maintenant par les rues

[1] **se servir de**, to use, make use of. [2] **diable**, devil. [3] **petite-fille**, granddaughter. [4] **par le grand soleil**, in the hot sun. [5] **(renvoyer)**, to send away.

comme un vagabond, pieds nus,[1] le chapeau plein de
trous, et l'habit déchiré.[2] La vérité est que le dimanche, quand nous le voyions entrer dans l'église,
nous avions honte[3] pour lui; et Cornille le sentait si
bien qu'il ne voulait plus venir s'asseoir sur son banc. 5
Il restait toujours au fond de l'église, près de la porte,
avec les pauvres.

Dans la vie de maître Cornille il y avait quelque
chose qui n'était pas clair. Depuis longtemps personne, au village, ne lui portait plus de blé. Cepen- 10
dant,[4] les ailes de son moulin tournaient toujours
comme avant. Le soir on rencontrait par les chemins
le vieux meunier poussant devant lui son âne chargé[5]
de gros sacs de farine.

« Bonsoir, maître Cornille, » lui criaient les pay- 15
sans, « il y a donc toujours du travail. »

« Toujours, mes enfants, » répondait le vieux
d'un air joyeux. « Ce n'est pas le travail qui nous
manque. »

Alors, si on lui demandait d'où diable pouvait 20
venir tant de travail, il se mettait un doigt[6] sur les
lèvres et répondait sérieusement: « Chut ! je travaille pour l'exportation. »* Jamais on ne put tirer
de lui d'autre réponse.

Il ne fallait pas penser à mettre le nez dans son 25
moulin, non plus. La petite Vivette elle-même n'y
entrait pas.

---

[1] **nu,** naked, bare. [2] **déchirer,** to tear. [3] **honte,** shame;
avoir honte, to be ashamed. [4] CEPENDANT, however, nevertheless. [5] **charger,** to load, burden. [6] **doigt,** finger.

Quand on passait devant, on voyait la porte toujours fermée, les grosses ailes toujours en mouvement, le vieil âne cherchant de l'herbe sur le haut de la colline, et un grand chat[1] maigre qui prenait le 5 soleil sur le bord de la fenêtre et vous regardait d'un air désagréable.*

Tout cela était difficile[2] à comprendre et faisait beaucoup parler les gens du village. On expliquait[3] à sa façon[4] le secret* de maître Cornille, mais le bruit 10 général* était qu'il y avait dans ce moulin-là encore plus de sacs de pièces d'or que de sacs de farine.

*   *   *

Enfin, tout devint clair; voici comment:

En faisant danser les gens avec mon fifre, je m'aperçus un beau jour que le plus grand de mes fils 15 et la petite Vivette étaient devenus amoureux[5] l'un de l'autre. En vérité, je n'en fus pas fâché, parce qu'après tout le nom de Cornille était en honneur dans le pays, et puis ce joli petit oiseau de Vivette m'aurait fait plaisir à voir dans ma maison.

20   Alors, je montai jusqu'au moulin pour en parler au grand-père ... Ah ! il faut voir[6] de quelle façon il me reçut ! Impossible* de lui faire ouvrir sa porte. Je lui expliquai mes raisons aussi bien que possible à travers un trou dans la porte; et tout le temps que

---

[1] **chat,** cat. [2] **difficile,** difficult. [3] **expliquer,** to explain.
[4] **à sa façon,** in one's own way. [5] **(amoureux),** *adj.* in love; *n.* lover; **devenir amoureux (de),** to fall in love (with). [6] **il faut voir . . . ,** you should have seen . . .

je parlais, il y avait ce diable de chat maigre qui me regardait au-dessus de ma tête.

Le vieux ne me donna pas le temps de finir, et me cria de retourner à mon fifre; que, si je voulais trouver une femme pour mon garçon, je pouvais bien aller chercher des filles aux moulins à vapeur... Pensez que je me fâchais bien de l'entendre parler ainsi! Mais je cachai cependant mes sentiments,* et laissant ce vieux fou à son moulin, je revins dire aux enfants ce qui était arrivé.

Ces pauvres petits ne pouvaient pas y croire. Ils me demandèrent de leur permettre de monter tous deux ensemble au moulin, pour parler au grand-père. Je n'eus pas le courage de les retenir, et prrrt! voilà mes amoureux partis!

Ils trouvèrent le moulin désert; maître Cornille venait de sortir. La porte était fermée à clef; mais le vieux, en partant, avait laissé son échelle[1] dehors, et tout de suite l'idée vint aux enfants d'entrer par la fenêtre, voir un peu ce qu'il y avait dans ce vieux bâtiment. Alors, on mit l'échelle contre le mur, et on monta...

Chose étrange! la chambre de la meule[2] était vide... Pas un sac, pas un grain de blé, pas de farine aux murs... On ne sentait[3] pas même cette bonne odeur chaude de farine qui remplit[4] les moulins... Tout était couvert de poussière,[5] même la meule, et le grand chat maigre dormait dessus.

---

[1] échelle, ladder. [2] MEULE, millstone. [3] (sentir), to smell.
[4] remplir, to fill. [5] poussière, dust.

31

La chambre d'en bas[1] avait le même air de misère; un mauvais lit, quelques vieux habits, un morceau de pain sur une chaise, et puis trois ou quatre sacs déchirés d'où coulait du plâtre.[2]

5 C'était là le secret de maître Cornille ! C'était ce plâtre qu'il portait le soir par les routes, pour sauver l'honneur du moulin et faire croire qu'on y faisait de la farine. Pauvre moulin ! Pauvre Cornille ! Depuis longtemps les moulins à vapeur leur avaient volé 10 leur travail. Les ailes tournaient toujours, mais la meule tournait à vide.

Les enfants revinrent tout en pleurant, me raconter ce qu'ils avaient vu. Je fus touché au cœur de les entendre. Sans perdre une minute, je courus chez 15 des voisins[3] et leur dis la chose en quelques mots. Nous décidâmes qu'il fallait, tout de suite, porter au moulin de maître Cornille tout ce qu'il y avait de blé dans les maisons.

Alors, le village se met en route, et nous arrivons au 20 moulin avec une procession* d'ânes chargés de sacs remplis de blé, — du vrai blé, celui-là !

Le moulin était grand ouvert. Devant la porte, maître Cornille, assis sur un sac de plâtre, pleurait, la tête dans ses mains. Il venait de s'apercevoir, 25 en rentrant, qu'on était entré chez lui et qu'on avait surpris son triste secret.

« Quelle honte ! » disait-il. « Maintenant, je n'ai plus qu'à mourir ! »

---

[1] **d'en bas,** below.   [2] PLÂTRE, plaster.   [3] **(voisin),** *n.* neighbor.

32

Et il pleurait à vous faire pitié,[1] appelant son moulin par toutes sortes* de noms, lui parlant comme à une vraie personne.

A ce moment, les ânes arrivent au haut de la colline, et nous nous mettons tous à crier bien fort comme au beau temps des meuniers: 5

« Ohé ! du moulin !... Ohé ! maître Cornille ! »

Et voilà les sacs qu'on met dans un grand tas devant la porte, et le beau grain qui coule par terre ...

Maître Cornille ouvrait de grands yeux.[2] Il avait 10 pris du blé entre ses doigts et il disait, riant et pleurant à la fois[3]:

« C'est du blé !... Seigneur Dieu !... du bon blé ! Laissez-moi, que je le regarde. »

Puis, se tournant vers nous: 15

« Ah ! je savais bien que vous me reviendriez ! Tous ces misérables là-bas sont des voleurs. »

Nous voulions l'emporter en triomphe* au village:

« Non, non, mes enfants; il faut avant tout que 20 j'aille donner à manger à[4] mon moulin. Pensez donc ![5] il y a si longtemps qu'il n'a rien eu sous la dent ! »[6]

Et nous pleurions tous de joie de voir le pauvre vieux courir de droite et de gauche, vidant[7] les sacs, 25

---

[1] **à vous faire pitié,** pitifully. [2] **ouvrir de grands yeux,** to stand staring, stare in astonishment. [3] **à la fois,** at the same time, at once. [4] **donner à manger (à),** to feed. [5] **Pensez donc !** Just think ! [6] **sous la dent,** between its teeth. [7] **(vider),** to empty.

33

sur[1] la meule, pendant que la fine poussière
élevait dans le moulin.

A partir de ce jour-là, jamais nous ne laissâmes le
vieux meunier manquer de travail. Puis, un matin,
5 maître Cornille mourut, et les ailes de notre dernier
moulin s'arrêtèrent, pour toujours cette fois. Que
voulez-vous, monsieur ! Tout a une fin en ce monde,
et il faut croire que le temps des moulins à vent était
passé . . .

ALPHONSE DAUDET, *Lettres de*
mon moulin, 1869

IV. LE VIOLONEUX[2]

(BORDEAUX)

10 « Eh ! là ! eh ! là ! »

Deux paysans frappent à la porte d'une hutte, à
quelques pas de la route. C'est le matin, au point
du jour, un jour d'automne* déjà froid.

« Eh ! le vieux, répondras-tu ? »

15 La porte s'ouvre lentement, et une longue barbe
blanche paraît.

« Ne criez pas tant ! Vous allez la réveiller. »

« Qui ça ? »

« Ma femme. Elle est malade. »

---

[1] **veiller (sur)**, to keep an eye on, watch (over), take **care**
of. [2] VIOLONEUX, fiddler.

34

« La Louise,[1] et de quoi donc ? »

« Un chaud et froid. »[2]

« Tant pis,[3] tant pis. Il ne s'agit[4] pas de cela. »

« De quoi s'agit-il ? »

« Le père Trabichet[1] marie sa fille aujourd'hui. »   5

« Qu'est-ce que ça me fait ? »[5]

« Attends, attends. N'es-tu pas violoneux ? »

« Eh bien ? »

« On dansera le soir. On dansera la nuit. Le
joueur de fifre est parti. Alors il ne reste que ton 10
violon. »[6]

« Ma femme est mourante. »

« Une voisine la gardera. »

« Je n'ai pas de voisine. »

« Eh bien, tu lui donneras des remèdes[7] et tu 15
l'enfermeras. »

« Je n'ai pas le cœur à jouer du violon. »

« On ne joue pas avec son cœur, violoneux. »

« Je ne peux pas laisser la Louise. »

« On ne peut rien faire pour les mourants. »   20

« On peut toujours les aider. »

« Ils ne servent plus à la vie. Pense à l'argent,
violoneux. »

---

[1] **La Louise:** in the country, the article, or the terms
père, mère, are often used in address or in speaking of persons well known.   [2] **Un chaud et froid,** a vague illness, like
"fever and chills."   [3] **pis,** *adv.* worse, worst; **tant pis,** so
much the worse.   [4] **agir,** to act; **s'agir de,** to be a question
of.   [5] **Qu'est-ce que ça me fait?** What difference does that
make to me?   [6] VIOLON, violin, fiddle.   [7] REMÈDE, (rem
edy), medicine.

35

« Je suis obligé d'y penser. »

« Le père Trabichet ne compte plus son or. Il te donnera une pièce de cinq francs. »

« Une pièce de cinq francs pour ma douleur ? »

5 « Deux pièces de cinq francs, alors ? »

« Deux pièces de cinq francs pour toute ma douleur ? »

« On ne paie pas la douleur, violoneux. »

« Alors, c'est l'enterrement[1] qu'on paie. »

10 « Il te donnera trois pièces de cinq francs. C'est un bon pourboire, par ces temps-ci. Tu es seul, accepte-le. Le joueur de fifre va revenir. Et ce n'est pas tous les jours qu'une belle fille se marie. »[2]

« On ne reçoit pas la mort tous les jours. »

15 « Viendras-tu ? Ne viendras-tu pas ? »

« J'irai, j'irai. Je ne puis faire autre chose. »

« A cinq heures on t'attend. A minuit[3] tu partiras. »

« A cinq heures j'arriverai. A minuit, je serai 20 parti. »

« Au revoir,[4] violoneux, au revoir. »

*　　*　　*

A quatre heures de l'après-midi,[5] la Louise vit encore. Elle a fait sa paix avec le bon Dieu, elle n'a pas d'espoir de guérir, pourquoi s'en va-t-elle si lente-25 ment ? Elle ne comprend plus ce qui se passe[6] autour d'elle, mais elle continue de respirer, de respirer

---

[1] ENTERREMENT, burial. [2] (**se marier**), to marry, get married. [3] **minuit,** midnight. [4] **Au revoir,** Good-bye. [5] **après-midi,** afternoon. [6] **se passer,** to happen, go on.

trop fort et trop vite comme le moulin de la chanson.[1]

Il n'y a plus un sou dans toute la maison; les économies ont passé aux remèdes, et pour payer l'enterrement il faudra râcler[2] du violon bien souvent. Cependant, on ne quitte pas une mourante.

Le violoneux la regarde, la regarde avec douceur. Mais, c'est triste à dire, il regarde le jour aussi, le jour qui s'en va, et il attend les signes de la mort. Il tient par la main leur enfant, la petite Catherine. Il était déjà vieux quand il s'est marié, et c'est lui qui reste, et ce n'est pas juste. Dans leur vie de misère, sa jeune femme mettait un sourire comme une fleur sur un rocher. Va-t-il devenir tendre, à ces pensées ? Les pauvres n'en ont pas le droit. Il a faim, et la petite a faim; il a fallu faire des sacrifices* pour acheter des remèdes. Et l'enterrement, ne faut-il pas y penser ? Quel charge[3] sur des épaules de vieil homme !

Voilà cinq heures qui sonnent à l'église du village. Et la Louise vit toujours. T'endormiras-tu, Louise, dans la paix de Dieu, pour que ton homme aille gagner de quoi payer ton enterrement ? Aujourd'hui, ne le sais-tu pas, le père Trabichet marie sa fille. C'est un gros fermier[4]; il est riche, il ne compte pas son argent. Mais tu ne penses plus à l'heure qu'il est: tu ne sens plus la vie, et la mort ne vient pas . . .

[1] As in the old song: « Meunier, tu dors, Ton moulin va trop vite; Meunier, tu dors, Ton moulin va trop fort. »
[2] RÂCLER, to scrape (= to fiddle). [3] (charge), burden, load.
[4] (fermier), farmer.

37

Là-bas, dans la ferme où l'on a mis des fleurs partout, on devient impatient.*   On ne dansera pas sans
musique.*

« Et ce violoneux de malheur ? »

5   « Viendra-t-il ?   Ne viendra-t-il pas ? »

« Trois pièces de cinq francs, ça ne se trouve pas
tous les jours ! »

« Le joueur de fifre est parti; il ne reste que le
violoneux. »

10   Les garçons et les filles vont souvent, les uns après
les autres, examiner* le grand chemin qui disparaît
dans l'horizon.   Et ils sont en colère, parce qu'ils ont
grand désir de danser.

A six heures, la Louise ne respire plus.   Elle est
15 morte.   Le violoneux, sans perdre une minute, lui a
fermé les yeux.   Il lui a donné son plus beau drap, le
seul qui restait dans le placard, et il a fait ce qu'on
doit faire pour une morte.

« Pauvre Louise !   Pauvre Louise !   Repose-toi, je
20 vais travailler. »

Et prenant Catherine d'une main et le violon de
l'autre, il est parti sur la grande route, dans la nuit.
Il n'a pas fermé la porte à clef.   La mort garde les
maisons.   Et il court, et il court, avec l'enfant qui
25 pleure, avec le bois[1] qui doit chanter, pour ne pas
perdre ses trois pièces de cinq francs.

*   *   *

« On ne voit plus rien.   On ne voit plus rien. »

---

[1] **bois,** wood (*refers to the fiddle*).

« La nuit est trop noire. »

« A cette heure il ne viendra plus. On ne dansera pas. Mauvaise affaire ! »

« Qu'est-ce qu'un mariage où l'on n'a pas dansé ? »

Les filles et les garçons discutent. Le père Trabichet est en colère. On a beaucoup bu, et l'on se fâche tout de suite en parlant.

« Le voilà ! Le voilà ! »

« Vous êtes certain ? »

« En place,[1] en place: on va danser. »

Le violoneux est arrivé. Il est tout pâle comme un meunier.

« Tu n'es pas pressé,[2] violoneux. »

« On fait ce qu'on peut, vous savez. »

« Trois pièces de cinq francs, c'est trop. »

« Vous donnerez ce qui vous plaira. »

« J'en donnerai deux, et c'est beaucoup. »

« J'en prendrai deux, alors. »

« Un peu de vin, violoneux ? »

« J'aime mieux du pain, si vous voulez. »

« Voilà du pain et du fromage, et voilà du vin, aussi. Et pour ta fille, un morceau de gâteau.[3] Il était si grand qu'il en reste. »

« Vous êtes bon. Vous pensez aux autres. »

« Il y a assez pour manger et boire. Mais tu n'auras que dix francs. »

« C'est bon de manger. C'est bon de boire. »

« Mon Dieu, on dirait que tu as faim. »

---

[1] **En place,** Take your places. [2] **(pressé),** in a hurry, hurried. [3] **gâteau,** cake.

« J'ai marché vite pour venir. »

« Et maintenant, prends ton violon. On peut jouer la bouche[1] pleine. »

*   *   *

Le vieux a pris son violon, et il est monté sur une
5 table. Un coup, deux coups, et puis il est prêt à
commencer. Quelles danses voulez-vous ? On va
vous en donner autant que vous voudrez. Ce diable
de violoneux, il faut dire qu'il a du feu dans les doigts !

Sa fille est assise entre ses jambes. Elle a mangé
10 du gâteau; c'était la première fois, le croiriez-vous ?
Il fait chaud dans la salle. Tous ces gens qui tournent sont joyeux. Elle ouvre les yeux tout grands
pour les voir. Elle ouvre la bouche pour mieux
sourire. Elle ne pense plus à sa maman qui est toute
15 seule dans la maison noire.

« Es-tu fatigué, violoneux ? »

« Je suis ici pour vous servir. »

« Alors, bois ce vin chaud et continue . . . »

Il continue, mais il n'y met pas toute son attention.
20 Au commencement[2] il faisait tous ses efforts pour
varier* les danses et pour bien gagner son argent.
Mais il ne connaît que peu d'airs.[3] Il reprend les
mêmes airs, et il ne s'en aperçoit pas. Il pense à
sa situation* maintenant, à la Louise qui devient
25 froide, sans son mari, sans son enfant.

Il se rappelle un air, oui, un air que lui ont appris[4]

---

[1] **bouche,** mouth; **la bouche pleine,** with the mouth full.
[2] **(commencement),** beginning. [3] **(air),** tune, air (*musical*).
[4] **appris** *p.p.* **apprendre,** taught.

des vagabonds, sur le grand chemin, des vagabonds
qui passaient, qui s'en allaient en chantant. C'était
un air de misère, avec des notes* qui traînaient[1]
comme des bêtes blessées[2] dans la forêt, et d'autres si
fortes qu'elles remplissaient le cœur comme un désir 5
de paradis. Cette musique-là, c'était son cœur, et
toute la douleur qui était dedans[3] et qui n'était pas
encore venue au dehors. Il est difficile de faire sortir
ce qui est à l'intérieur d'un pauvre homme. Avec le
violon, c'est bien plus facile. De sa tête, l'air que des 10
fois il a essayé tout seul, descend jusqu'à ses doigts.
Il le joue pour son plaisir qui est sa douleur. Et
Catherine, qui est entre ses jambes, se retourne, de
peur.

Puisque ce n'est pas un air de danse. Les gens qui 15
tournent, vont de travers.[4] Peu à peu ils s'arrêtent.

« Violoneux ! Violoneux ! Tu perds la tête,
violoneux ! »

« Qu'est-ce que cet air sombre et triste des morts ? »
Mais Catherine crie, sans y prendre garde: 20
« Maman ! »

Le violoneux se secoue.[5] Il avait oublié tout le
monde. Il ne gagne pas son argent. Quand on est
payé, il faut gagner son argent.

« Pardon, pardon ! Que voulez-vous ? Je jouerai 25
ce qui vous plaira. »

Quand minuit sonne, on le renvoie, avec deux

---

[1] **traîner,** to drag, crawl, wander. [2] **blesser,** to wound.
[3] **dedans,** inside, within. [4] **de travers,** in the wrong direction, askew. [5] **secouer,** to shake; **se secouer,** rouse oneself.

pièces de cinq francs seulement. Avec l'enfant il s'en va dans la bonne nuit bien noire. Dans la bonne nuit bien noire, on ne sait pas qui souffre et pleure . . .

5 « Papa, papa, tu vas bien vite. »

« Je te prendrai sur mon dos, Catherine. »

Et il court, ainsi chargé, vers sa femme qui ne l'attend plus . . .

*　　*　　*

Là-bas, les gens qui boivent un dernier coup[1] par-
10 lent entre eux du violoneux:

« Il devient vieux. »

« Il racle de travers. »

« Il ne vaut plus rien pour la danse. »

« On ne le prendra plus . . . »

HENRI BORDEAUX, *Le Chemin de Roselande*
Mame et Fils, Tours, 1926

[1] **(coup)**, draught, drink.

LIST OF IDIOMS

Numbers following the idiomatic expressions refer to the page and line in the text where the expression first occurs, e.g. **2,** 14 = page 2, line 14.

L'Attaque du Moulin

PAR

ÉMILE ZOLA

Retold and Edited by

OTTO F. BOND
The University of Chicago

INTRODUCING 219 NEW WORDS
AND 36 IDIOMS

BOOK FIVE

D. C. HEATH AND COMPANY
BOSTON

L'ÂME DU MOULIN

ENTRE NOUS

— Let's see: 104 words in the initial word-stock, 33 dependable cognates, 245 derivatives, and 640 non-inferable words, making . . .

— A grand total of 1221. So what?

— Right you are; well, that will be the extent of your reading vocabulary when you finish *Book Five*, plus 200 idiomatic expressions and some 150 irregular verb forms.

— And I started with less than 100 words, 90 % of which were words of one syllable! My! my! and now . . . Zola!

— Zola . . . experimentalist in human misery, advocate of common justice, mud-stained dreamer, a naturalistic writer with romantic visions. This short story, *L'Attaque du Moulin*, is an ironic commentary on war.

— Hm! but let's get back to your statistics. What can they do for me if I tackle this story?

— Credit you with 219 new words, 80 % basic, of which 85 are cognates and 47 derivatives, reducing the learning burden to some 87 words, with a density of one non-inferable word to every 50 words of the running text. Furthermore, 78 % of *Book Five* is already known to you.

— All right, Professor. Any good news on verbs?

— I thought so! Yes; you will find mainly past tenses, namely, the past absolute, past subjunctive, past descriptive, and past future, with some special uses of *devoir*. Note them well, and *bon voyage!*

NOTE. *New* words and expressions, on first occurrence, are annotated and explained at the bottom of the page, unless cognate. Cognates are followed by an asterisk and are omitted from the end-vocabulary. Derivatives and compounds of words already known, if not cognate, are given in parentheses at the bottom of the page. Words set in small capitals are outside of the basic vocabulary.

L'ATTAQUE DU MOULIN

I

Le moulin du père Merlier, par cette belle soirée de juillet,[1] était en grande fête. Dans la cour, on avait mis trois tables, placées* bout à bout, et qui attendaient l'arrivée[2] des invités.[3] Tout le pays savait qu'on allait fiancer,[4] ce jour-là, la fille Merlier, 5 Françoise, avec Dominique Penquer. On disait dans le pays que Dominique était paresseux,[5] mais les femmes le regardaient avec des yeux brillants,[6] tant il était beau et bien fait.

Ce moulin du père Merlier était un vrai plaisir. 10 Il se trouvait au beau milieu de Rocreuse, là où la route fait un tournant.[7] Le village n'a qu'une rue, deux rangées[8] de petites maisons, assez pauvres, une rangée de chaque côté[9] de la route. Mais là, au tournant, de grands arbres qui suivent le cours de 15 la Morelle, couvrent le fond de la vallée* de leurs branches épaisses.[10]

Il n'y a pas d'endroit plus charmant dans toute

---

[1] **juillet,** July. [2] (**arrivée**), *n.* arrival, entry, coming.
[3] (**invité**), *n.* guest. [4] FIANCER, to betroth, announce the engagement (of). [5] **paresseux** (*f.* paresseuse), lazy. [6] (**brillant**), *adj* shining, sparkling. [7] (**tournant**), *n.* turn, bend. [8] (**rangée**), row, line. [9] **côté**, side, direction; **de chaque côté,** on each side. [10] **épaisse** (*m.* épais), thick, dense.

1

la Lorraine !¹ A droite et à gauche, des bois épais,
des forêts âgées* de cent ans et plus, montent des
collines douces, remplissent l'horizon d'une mer
verte.² Vers le sud, la plaine s'étend au loin, ses
5 riches terres coupées de haies³ toujours vertes.

Mais ce qui fait le plus grand charme* de Rocreuse, c'est la fraîcheur⁴ de cet endroit, aux jours
les plus chauds de l'été. La Morelle descend des
bois de Gagny, et semble⁵ prendre le froid des
10 branches épaisses sous lesquelles elle coule pendant
des kilomètres. Elle y apporte les bruits doux,
l'ombre fraîche⁶ et tranquille des forêts. Et elle
n'est pas la seule fraîcheur; toutes sortes d'eaux
courantes chantent sous les bois. A chaque pas,
15 quand on suit les petits chemins étroits, on voit de
l'eau qui sort de terre au pied des arbres, entre
les rochers, pour couler en de claires fontaines. Les
voix de ces eaux s'élèvent si nombreuses et si hautes
qu'elles couvrent les chansons des oiseaux. On se
20 croirait dans quelque jardin enchanté.*

En bas, dans la vallée, il y a deux rangées d'énormes
peupliers⁷ qui montent, à travers champs, vers
l'ancien château de Gagny, aujourd'hui en ruines.*
Et quand le soleil de juillet tombe entre ces deux
25 rangées de peupliers, les herbes allumées dorment

¹ **Lorraine:** eastern province of France, ceded to Ger-
many after the Franco-Prussian War of 1870 and restored
to France by the Versailles Treaty. ² **vert,** green. ³ HAIE,
hedge. ⁴ **(fraîcheur),** freshness, coolness. ⁵ SEMBLER, to
seem. ⁶ **fraîche** (*m.* **frais**), fresh, cool. ⁷ PEUPLIER, poplar
tree.

dans la chaleur,[1] pendant qu'une fraîcheur de forêt profonde passe* sous les feuilles.

C'était là que se faisait entendre le tic-tac* joyeux du moulin du père Merlier.

Le bâtiment, fait de plâtre et de planches,[2] parais- 5 sait vieux comme le monde. Il se trouvait à moitié[3] dans la Morelle, et à moitié sur le bord.[4] L'eau tom- bait de quelques mètres[5] sur la roue du moulin, qui se plaignait[6] en tournant, comme une vieille servante qui se plaint du travail dans la maison. Quand on 10 disait au père Merlier qu'il fallait la changer, il ré- pondait qu'une jeune roue serait plus paresseuse et ne connaîtrait pas si bien le travail. Et il réparait* l'ancienne avec tout ce qui lui tombait sous la main, des morceaux de bois, du fer,[7] du cuivre.[8] Cela 15 donnait à la roue un air tout joyeux, étrange même.

Une bonne moitié du moulin était bâtie au-dessus de la rivière.* L'eau entrait sous le plancher[9]; il y avait des trous, bien connus dans le pays pour les poissons énormes qu'on y prenait. Au-dessous de la 20 roue, l'eau était très claire, et quand la roue ne tour- nait pas, on y apercevait des bandes de gros poissons qui passaient et repassaient[10] très lentement, ou qui disparaissaient sous le plancher du moulin. Un vieil escalier[11] de bois descendait à la rivière, près d'un 25

---

[1] (chaleur), heat, warmth. [2] planche, board, plank.
[3] moitié, half, part; à moitié, adv. half, partly. [4] (bord), bank.
[5] mètre = 1.09 yards. [6] se plaindre, to complain, groan.
[7] fer, iron. [8] cuivre, copper, brass. [9] (plancher), floor.
[10] passer et repasser, to pass (go) back and forth. [11] escalier,
staircase, stairs.

3

rocher où était attaché un bateau. Dans le mur
au-dessus de la roue, des fenêtres s'ouvraient çà et
là,[1] comme des yeux. Mais partout des lierres[2]
avaient poussé et grimpaient[3] sur la roue, sur les
5 planches du mur, et y avaient mis un habit vert et
frais.

L'autre moitié du bâtiment, celle qui donnait
sur la route, était plus solide. On passait sous
une grande porte d'entrée[4] en pierre et on entrait
10 dans une grande cour, presque couverte de l'ombre
d'un peuplier immense. Au fond, on apercevait les
quatre fenêtres du premier étage[5] et, à droite et à
gauche, de petits bâtiments pour les voitures et les
chevaux. Ici, pas de lierres; le plâtre des murs
15 brillait tout blanc, au soleil.

Depuis vingt ans, le père Merlier était maire de
Rocreuse. Il avait fait fortune. On disait qu'il
avait quelque chose comme quatre-vingt[6] mille
francs, gagnés sou à sou. Le jour de son mariage
20 avec Madeleine Guillard, qui lui apportait en dot[7] le
moulin, il n'avait que ses deux bras. Aujourd'hui, sa
femme était morte; il restait seul avec sa fille Françoise. Sans doute, il aurait pu se reposer, mais il se
serait trop ennuyé,[8] et la maison lui aurait semblé
25 morte. Il travaillait toujours, pour le plaisir. Le
père Merlier était alors un grand vieux, à longue

[1] çà et là, here and there. [2] LIERRE, ivy. [3] GRIMPER, to
climb. [4] (entrée), *n.* entrance, entry. [5] étage, floor (*of a
house*). [6] (quatre-vingts), eighty. [7] DOT, dowry; en dot, as
a dowry. [8] (s'ennuyer), to be (grow) bored (weary, tired).

4

figure silencieuse,[1] qui ne riait jamais, mais qui avait cependant le cœur très gai.*

Françoise avait dix-huit ans. Elle ne passait pas pour une des belles filles du pays, parce qu'elle n'était pas robuste.* Jusqu'à quinze ans, elle avait même été laide[2]; mais à quinze ans, elle prit une petite figure, la plus jolie[3] du monde. Elle avait des che-- veux noirs, des yeux noirs, une bouche qui riait toujours. Bien qu'elle ne fût pas robuste pour le pays, elle n'était pas maigre, loin de là; c'était tout simplement qu'elle n'aurait pas pu lever un sac de blé. Et si elle riait toujours, c'était pour faire plaisir aux autres. Au fond, elle était sérieuse.

Tous les jeunes gens du pays la recherchaient en mariage, plus encore pour sa dot que pour sa beauté. Elle avait fini par faire un choix[4] qui avait fait parler tout le monde.

De l'autre côté[5] de la Morelle, vivait un grand gar- çon, qu'on nommait Dominique Penquer. Il n'était pas de Rocreuse. Il était arrivé de Belgique,[6] il y avait dix ans, à la mort d'un oncle, qui lui avait laissé une petite propriété[7] sur le bord même de la forêt de Gagny, juste en face du moulin du père Merlier. Il venait pour vendre cette propriété, disait-il, et re- tourner en Belgique. Mais le charme du pays le gagna, et il y resta. Il cultivait* son champ, il

---

[1] (silencieuse, *m.* silencieux), silent, quiet. [2] laid, plain, homely. [3] joli, pretty; elle prit . . . du monde, she developed the prettiest little face in the world. [4] (choix), choice. [5] de l'autre côté, on the other side, in the other direction. [6] Bel- gique, Belgium. [7] propriété, property.

pêchait dans la rivière, il chassait. Les gardes[1] cherchaient à le surprendre, mais il leur échappait toujours.

Cette vie libre, dont les paysans ne voyaient pas 5 bien les moyens, avait fini par lui donner une mauvaise réputation.[4] De plus, il était paresseux, parce qu'on le trouvait souvent endormi dans l'herbe, à des heures où il aurait dû travailler.[2] La hutte qu'il habitait, sous les derniers arbres de la forêt, ne paraissait 10 pas non plus la maison d'un honnête garçon. S'il avait été en affaires[3] avec le diable, cela n'aurait pas surpris les vieilles femmes de Rocreuse. Cependant, quelquefois les jeunes filles étaient assez courageuses pour le défendre, parce qu'il était beau, grand et fort 15 comme un jeune peuplier, avec une barbe et des cheveux blonds qui brillaient comme de l'or au soleil. Un beau matin, Françoise avait dit à son père qu'elle aimait Dominique et que jamais elle ne se marierait avec un autre garçon. Elle avait fait son choix.

20 On pense quel coup le père Merlier reçut, ce jour-là! Il ne dit rien. Il avait sa figure silencieuse; seulement, sa gaieté* intérieure ne brillait plus dans ses yeux. Une semaine passa ainsi. Françoise, elle aussi, était toute silencieuse. Ce que le père Merlier ne pouvait 25 pas comprendre, c'était comment ce misérable avait réussi à se faire aimer de sa fille. Jamais Dominique n'était venu au moulin. Enfin, le meunier aperçut l'amoureux, de l'autre côté de la rivière, couché dans

---

[1] (garde), *m.* game warden. [2] **il aurait dû travailler,** he should have been working. [3] (**affaires,** *pl.*), business, dealings.

i'herbe et faisant semblant[1] de dormir. Françoise,
de sa chambre, pouvait le voir. La chose était claire;
ils étaient devenus amoureux en se regardant à travers la Morelle.

Cependant, huit autres jours passèrent. Françoise 5
devenait de plus en plus sérieuse. Le meunier ne
disait toujours rien. Puis, un soir, silencieusement,
il amena lui-même Dominique. Françoise, à ce moment-là, mettait les couverts pour le souper. Elle
ne parut pas étonnée, elle mit un couvert de plus; 10
seulement, son rire[2] avait reparu.

Le matin, le père Merlier était allé trouver Dominique dans sa hutte, sur le bord de la forêt. Là, les
deux hommes avaient causé[3] pendant trois heures,
les portes et les fenêtres fermées. Jamais personne 15
n'a su ce qu'ils s'étaient dit. Ce qu'il y a de certain,
c'est que le père Merlier en sortant traitait déjà
Dominique comme son fils. Sans doute, le meunier
avait trouvé un brave garçon, dans ce paresseux
qui se couchait sur l'herbe. 20

Tout Rocreuse en parla. Les femmes, sur les
portes, ne se fatiguaient pas de discuter l'action du
père Merlier qui laissait entrer chez lui un misérable
qui ne valait rien. Il laissa dire.[4] Peut-être s'était-il
souvenu de son propre mariage. Lui non plus n'avait 25
pas un sou à ce temps-là; cependant, cela ne l'avait
pas empêché[5] de faire un bon mari.

[1] **semblant,** pretense; **faire semblant (de),** to pretend (to),
make believe. [2] **(rire),** *n.* laughter. [3] **causer,** to talk, chat.
[4] **Il laissa dire,** He let them talk. [5] **empêcher (de),** to prevent, keep from

7

De plus, Dominique se mit si courageusement au travail, que bientôt le pays en fut étonné et venait le voir par plaisir. Le garçon du moulin étant parti, Dominique porta les sacs, conduisit la voiture, se bat-
5 tit avec la vieille roue, quand elle ne voulait pas tourner, et tout cela d'un très bon cœur. Le père Merlier avait son rire silencieux. Il était très fier de ce garçon. Il n'y a rien comme l'amour pour donner du courage aux jeunes gens.

10 Au milieu de tout ce gros travail, Françoise et Dominique se regardaient avec une douceur souriante, mais ils ne se parlaient que très peu. Le père Merlier n'avait pas dit un seul mot au sujet[1] du mariage, et tous deux respectaient ce silence. Enfin, un
15 jour, vers le milieu de juillet, il avait fait mettre trois tables dans la cour, sous le grand peuplier, en invitant* ses amis de Rocreuse à venir le soir boire un verre[2] avec lui.

Quand la cour fut pleine et quand tout le monde
20 eut le verre en main, le meunier leva le sien très haut, en disant:

« C'est pour avoir le plaisir de vous dire que Françoise deviendra la femme de ce brave garçon-là dans un mois, le vingt-cinq août. »[3]

25 Alors, on but, en causant et en riant tous à la fois. Mais le père Merlier, élevant la voix, dit encore:

« Dominique, embrasse[4] ta fiancée[5]; ça doit se faire. »[6]

[1] **sujet,** subject; **au sujet de,** about.   [2] **verre,** glass (of wine)
[3] **août,** August.   [4] EMBRASSER, to kiss.   [5] (**fiancée** f., **fiancé** m.), betrothed.   [6] **ça doit se faire,** it must be done (= it is the custom).

8

Et les fiancés s'embrassèrent, très rouges, pendant que tout le monde riait plus fort. Ce fut une vraie fête. On vida un verre après l'autre. Puis, quand il n'y eut là que de vieux amis, on causa d'une façon calme. La nuit était tombée, une nuit très claire, 5 brillante d'étoiles. Les amoureux, assis sur un banc, l'un près de l'autre, ne disaient rien. Un vieux paysan parlait de la guerre que l'empereur* avait déclaréc* à la Prusse.[1] Tous les jeunes gens du village étaient déjà partis. La veille, des soldats avaient 10 encore passé. On allait se battre . . .

« Eh bien ! » dit le père Merlier, « Dominique est étranger, il ne partira pas . . . Et si les Prussiens* venaient, il serait là pour défendre sa femme. »

Cette idée que les Prussiens pouvaient venir, fit 15 rire les invités. On allait leur donner quelques bons coups, et ce serait vite fini. Mais le vieux paysan dit d'une voix calme:

« Je les ai déjà vus, je les ai déjà vus. »

Il y eut un silence. Puis, on but une fois encore. 20 Françoise et Dominique n'avaient rien entendu; ils s'étaient pris doucement la main, derrière le banc, et ils restaient là, les yeux perdus[2] au fond de la nuit noire.

Quelle nuit, douce et belle ! Le village s'endormait 25 aux deux bords de la route blanche, dans une tranquillité* d'enfant. On n'entendait plus, de temps en

[1] Emperor Napoleon III declared war on Prussia in July, 1870. This story takes place in August of that year. Rocreuse lies in Lorraine, near the German frontier. [2] **les yeux perdus,** their eyes gazing vacantly.

temps, que l'appel[1] de quelque oiseau éveillé trop tôt.[2] Des grands bois voisins, descendaient de longs souf-fles[3] qui passaient sur les toits[4] du village comme des caresses.* Les champs, avec leurs ombres noires, 5 prenaient une majesté mystérieuse et calme, et toutes les fontaines, toutes les eaux courantes semblaient être la respiration[5] fraîche et musicale* de la cam-pagne endormie.

Par instants, la vieille roue du moulin, endormie 10 par le son[6] musical de la rivière, paraissait rêver comme ces vieux chiens de garde qui aboient[7] en dor-mant. Elle se plaignait doucement, elle causait toute seule. Jamais une paix plus profonde n'était descen-due sur un coin[8] plus heureux de la nature.*

II

15 Un mois plus tard,[9] jour pour jour, la veille même du vingt-cinq août, le petit village de Rocreuse était dans la terreur.*

Les Prussiens avaient battu l'empereur et s'avan-çaient rapidement vers le village. Depuis une se-20 maine, des gens qui passaient sur la route déclaraient:

« Les Prussiens sont à Lormière; ils sont à No-velles . . . »

Et Rocreuse, chaque matin, croyait les voir des-cendre par les bois de Gagny. Ils ne venaient pas

[1] (appel), call. [2] tôt, soon. [3] souffle, breath, puff (of wind). [4] toit, roof. [5] (respiration), breathing. [6] (son), sound. [7] ABOYER, to bark. [8] coin, corner. [9] tard, late.

cependant; cela ajoutait[1] à la terreur. Il était bien certain qu'ils tomberaient sur le village pendant la nuit et qu'ils tueraient tout le monde.

La veille, un peu avant le jour, les habitants* s'étaient réveillés, en entendant un grand bruit 5 d'hommes sur la route. Les femmes déjà se jetaient à genoux[2] et faisaient des signes de croix, quand on avait reconnu des uniformes* rouges. C'était un détachement* français. Le capitaine avait tout de suite demandé le maire du pays, et il était resté au 10 moulin, après avoir causé avec le père Merlier.

Le soleil se levait gaiement ce jour-là. Il ferait chaud, à midi.[3] Le village s'éveillait lentement, et la campagne, avec sa rivière et ses fontaines, avait la fraîcheur des fleurs, le matin. 15

Mais cette belle journée[4] ne faisait rire personne. On venait de voir le capitaine tourner autour du moulin, regarder les maisons voisines, passer de l'autre côté de la Morelle, et de là, examiner avec soin tout le pays. Le père Merlier, qui l'accompa- 20 gnait, semblait lui expliquer quelque chose. Puis, le capitaine avait placé des soldats[5] derrière des murs, derrière des arbres, dans des trous. La plus grande partie du détachement restait dans la cour du moulin. On allait donc se battre? Quand le père Merlier re- 25 vint, on lui fit des questions. Il fit un long signe de tête, sans parler. Oui, on allait se battre.

Françoise et Dominique étaient là, dans la cour,

---

[1] **ajouter,** to add.　[2] **genou,** knee; **à genoux,** on one's knees.
[3] **midi,** noon.　[4] **(journée),** day.　[5] **soldat,** soldier.

qui le regardaient. Il finit par ôter sa pipe* de sa bouche, et dit simplement:

« Ah ! mes pauvres petits, on ne se mariera pas demain ! »

5 Dominique, les lèvres fermées, la figure pleine de colère, se levait de temps en temps, restait les yeux fixés sur les bois de Gagny, comme s'il avait voulu voir arriver les Prussiens. Françoise, très pâle, sérieuse, allait et venait, apportant aux soldats ce
10 dont ils avaient besoin. Ils faisaient la soupe dans un coin de la cour, et causaient, en attendant de manger.

Cependant, le capitaine paraissait très content. Il avait examiné les chambres et la grande salle du
15 moulin donnant sur la rivière. Maintenant, assis sous le peuplier, il causait avec le père Merlier.

« Vous avez là une vraie forteresse, »* disait-il. « Nous résisterons bien jusqu'à ce soir. Il se fait tard.[1] Les misérables devraient être[2] ici. »

20 Le meunier restait sérieux. Il voyait son moulin brûler comme un tas de feuilles sèches. Mais il ne se plaignait pas, croyant cela inutile.[3] Il ouvrait seulement la bouche pour dire:

« Vous devriez faire cacher le bateau derrière la
25 roue . . . il y a là un trou . . . le bateau pourra servir, peut-être. »

Le capitaine donna un ordre. Ce capitaine était un bel homme, âgé de quarante ans, grand et de

---

[1] **Il se fait tard,** It's getting late. [2] **devraient être,** should be. [3] **(inutile),** useless.

figure aimable.[1] La vue de Françoise et de Dominique semblait lui faire du plaisir. Il suivait Françoise des yeux, et son air disait clairement qu'il la trouvait charmante. Puis, se tournant vers Dominique:

« Vous n'êtes donc pas à l'armée, mon garçon? » **5** lui demanda-t-il soudain.[2]

« Je suis étranger, » répondit le jeune homme.

L'officier sourit. Il pensait que Françoise était plus agréable à servir que l'empereur. Alors, en le voyant sourire, Dominique ajouta: **10**

« Je suis étranger, mais je mets une balle[3] dans une pomme, à cinq cents mètres . . . Tenez, mon fusil[4] est là, derrière vous, dans le coin. »

« Il pourra vous servir, » répondit simplement le capitaine. **15**

Françoise s'était approchée, un peu tremblante. Et, sans faire attention aux autres, Dominique prit dans les siennes les deux mains qu'elle lui tendait, comme pour se mettre sous sa protection.* Le capitaine avait souri de nouveau,[5] mais il n'ajouta pas **20** un mot. Il restait assis, son épée entre les jambes, les yeux perdus, paraissant rêver.

Il était déjà dix heures. La chaleur devenait très forte. Un silence profond remplissait tout le pays. Dans la cour, à l'ombre du peuplier, les soldats **25** s'étaient mis à manger la soupe. Pas un bruit ne venait du village, dont les habitants avaient tous fermé leurs maisons, portes, et fenêtres. Un chien,

[1] (aimable), pleasant, likable. [2] **soudain,** *adv.* suddenly; *adj.* sudden. [3] **balle,** bullet. [4] **fusil,** gun. [5] **de nouveau,** again, anew.

13

resté seul sur la route, aboyait. Des bois et des champs voisins, endormis par la chaleur, sortait une voix lointaine, prolongée,* faite de tous les souffles, de tous les sons de la nature. Un coucou* chanta.
5 Puis, le silence devint plus grand.

Et, dans cet air endormi, soudain, un coup de fusil[1] éclata.[2]

Le capitaine se leva vivement, les soldats quittèrent leur soupe. En quelques secondes,* tous furent
10 à leur place; de bas en haut,[3] le moulin se trouvait occupé.* Cependant, le capitaine, qui était sorti sur la route, n'avait rien vu; à droite et à gauche, la route s'étendait, vide et toute blanche. Un deuxième coup de fusil se fit entendre, et toujours rien, pas une om-
15 bre. Mais, en se retournant, il aperçut du côté de[4] Gagny, entre deux arbres, une légère[5] fumée qui disparaissait en l'air. Le bois restait profond et calme.

« Les misérables se sont jetés dans la forêt, » se dit-il. « Ils savent que nous sommes ici. »
20 Alors, une fusillade* éclata entre les soldats français, placés autour du moulin, et les Prussiens, cachés derrière les arbres. Les balles passaient au-dessus de la Morelle, sans faire de mal ni d'un côté ni de l'autre. Les coups étaient irréguliers,* venaient de chaque
25 buisson.[6] On n'apercevait toujours que les légères fumées, balancées[7] lentement par le vent.

Cela dura[8] près de deux heures. L'officier ne pa-

---

[1] **coup de fusil,** (gun) shot. [2] **éclater,** to burst (out). [3] **de bas en haut,** from top to bottom. [4] **du côté de,** in the direction of. [5] **légère** (*m.* léger), light. [6] **buisson,** bush. [7] **balancer,** to sway, flutter, poise, balance. [8] DURER, to last.

raissait pas y faire attention. Françoise et Dominique
regardaient par une ouverture dans un mur de la
cour. Ils s'intéressaient[1] à un petit soldat, au bord
de la Morelle, derrière un vieux bateau qui se trouvait à moitié dans l'eau et à moitié sous les sables. Le 5
soldat était couché à terre, tenait les yeux fixés sur
l'ennemi, tirait[2] son fusil, puis se laissait glisser dans
un fossé pour le recharger.* Ses mouvements étaient
si amusants,* si vifs, qu'on se permettait de sourire
en le voyant. 10

Il dut apercevoir[3] quelque tête de Prussien, puis-
qu'il se leva vivement et mit son fusil à l'épaule;
mais, avant qu'il eût tiré, il jeta un cri et roula dans
le fossé. Le petit soldat venait de recevoir une balle
dans la poitrine.[4] C'était le premier mort.[5] Fran- 15
çoise avait saisi la main de Dominique et la lui serrait[6] d'un mouvement involontaire.*

« Ne restez pas là, » dit le capitaine. « Les balles
viennent jusqu'ici. »

Un petit coup sec s'était fait entendre dans le 20
vieux peuplier, et un bout de branche tombait en se
balançant. Mais les deux jeunes gens ne remuèrent
pas. Au bord de la forêt, un Prussien était sorti soudain de derrière un buisson, battant l'air de ses bras,
et tombant sur le dos. Et rien ne remua plus, les 25
deux morts semblaient dormir au soleil de midi, on
ne voyait toujours personne dans la campagne en-

[1] s'intéresser (à), to be interested (in). [2] (tirer), to fire,
discharge (*a gun*). [3] Il dut apercevoir, He must have seen.
[4] poitrine, breast, chest. [5] (mort), *n.m.* dead (man). [6] serrer, to press, squeeze, clasp, clutch.

dormie. Le bruit de la fusillade lui-même s'arrêta.
Seule, la Morelle parlait bas de sa voix claire.

Le père Merlier regarda le capitaine d'un air de
surprise, comme pour lui demander si c'était fini.

5 « Voilà le grand coup, » dit celui-ci d'une voix basse.
« Prenez garde. Ne restez pas là. »

Avant qu'il eût fini de parler,[1] une fusillade terrible
éclata du côté de la forêt. Le grand arbre fut coupé
comme avec une faux,[2] un nuage de feuilles tomba
10 en balançant. Les Prussiens avaient heureusement[3]
tiré trop haut. Dominique emmena, emporta presque Françoise, pendant que le père Merlier les suivait, en criant:

« Mettez-vous dans le moulin, les murs sont so-
15 lides. »

Mais ils ne l'écoutèrent pas. Ils entrèrent dans la
grande salle, où une douzaine* de soldats attendaient
en silence, les volets[4] fermés, regardant par des ouvertures. Le capitaine était resté seul dans la cour,
20 derrière le mur, pendant que la fusillade continua.

Les soldats qu'on avait laissés dehors défendaient
bravement leurs positions. Cependant, ils rentraient
un à un en se traînant, quand l'ennemi les avait
chassés des endroits où ils se cachaient. Leurs ordres
25 étaient de gagner du temps, de ne pas se montrer,
pour que les Prussiens ne pussent savoir quelles forces
ils avaient devant eux.

---

[1] **Avant qu'il eût fini de parler,** Before he had finished
speaking. [2] **faux,** *n.* scythe. [3] (**heureusement**), happily:
fortunately. [4] VOLET, blind, shutter.

16

Une heure encore passa. Et, comme un sergent[*] arrivait, disant qu'il n'y avait plus dehors que deux ou trois hommes, l'officier tira sa montre,[1] en disant :

« Deux heures et demie . . . Eh bien ! il faut tenir 5 quatre heures. »

Il fit fermer la porte d'entrée de la cour, et tout fut préparé pour résister à l'attaque qu'on croyait venir plus tard, puisque les Prussiens se trouvaient de l'autre côté de la rivière. Il est vrai qu'il y avait un 10 pont[2] à deux kilomètres du moulin, mais sans doute les Prussiens ne le savaient pas. L'officier fit donc simplement surveiller la route, croyant que l'ennemi n'essaierait pas de passer la rivière. L'attaque viendrait certainement du côté de la campagne. 15

La fusillade de nouveau s'était arrêtée. Le moulin semblait mort sous le grand soleil de l'après-midi. Pas un volet n'était ouvert, pas un bruit ne sortait de l'intérieur. Peu à peu, cependant, des Prussiens se montraient au bord du bois de Gagny. Ils 20 avançaient la tête, devenaient hasardeux.[3] Dans le moulin, quelques soldats mettaient déjà le fusil à l'épaule ; mais le capitaine cria :

« Non, non, attendez . . . Laissez-les s'approcher. »

Les Prussiens y mirent beaucoup de prudence,[*] 25 se tenant sur leur garde. Ce vieux bâtiment, silencieux et triste, avec son habit de lierre, leur fit peur. Cependant, ils avançaient. Quand il y en eut une

---

[1] **montre,** watch. [2] **pont,** bridge. [3] (**hasardeux**), venturesome, bold.

cinquantaine[1] dans le champ, en face, l'officier dit un seul mot:

« Allez ! »

Une fusillade terrible se fit entendre, des coups irréguliers suivirent. Françoise, tremblante, avait mis les mains à ses oreilles.[2] Dominique, derrière les soldats, regardait. Quand la fumée se fut un peu levée, il aperçut trois Prussiens étendus sur le dos, au milieu du champ. Les autres s'étaient jetés derrière les peupliers. Et le siège* commença.

Pendant plus d'une heure, les balles donnaient contre les vieux murs du moulin comme une pluie. Quand elles frappaient sur de la pierre, on les entendait retomber à l'eau. Dans le bois, elles pénétraient* avec un bruit sourd.[3] Les soldats, à l'intérieur, ne tiraient que rarement, quand ils pouvaient bien voir l'ennemi. De temps en temps, le capitaine regardait sa montre. Et, comme une balle traversait un volet et allait pénétrer dans un mur:

« Quatre heures, » se dit-il. « Nous ne tiendrons jamais. »

Peu à peu, cette fusillade terrible faisait trembler le vieux moulin. Un volet tomba à l'eau, plein de trous, et il fallut le remplacer[4] par un matelas.[5] Le père Merlier, à chaque instant, allait voir les dégâts[6] faits à sa pauvre roue. Elle était bien finie, cette fois; jamais il ne pourrait la réparer.

Dominique avait prié Françoise de quitter la salle,

[1] (une cinquantaine), about fifty. [2] oreille, ear. [3] SOURD, dull, muffled. [4] (remplacer), to replace. [5] MATELAS, mattress. [6] DÉGÂT, damage.

18

mais elle voulait rester avec lui; elle s'était assise
derrière une grande armoire,[1] qui la protégeait.[2]
Une balle cependant arriva dans l'armoire. Alors,
Dominique se plaça devant Françoise. Il n'avait pas
encore tiré, il tenait son fusil à la main, ne pouvant 5
trouver de place aux fenêtres. A chaque fusillade, le
plancher tremblait.

« Attention ! attention !» cria tout à coup le
capitaine.

Il venait de voir sortir du bois toute une masse 10
sombre. Au même moment s'ouvrit un feu formidable. Ce fut comme un orage qui passa sur le moulin.
Un autre volet partit, et par la grande ouverture de
la fenêtre, les balles entrèrent. Deux soldats roulè-
rent sur le plancher. L'un ne remua plus; on le 15
poussa contre le mur, pour faire de la place.[3] L'autre,
mourant, pria qu'on mît fin à sa douleur; mais on ne
l'écoutait pas. Les balles entraient toujours, tout le
monde cherchait un abri et essayait de trouver une
ouverture pour retourner le feu.   20

Un troisième soldat fut blessé; celui-là ne fit pas
de cri, il se laissa tomber doucement au bord d'une
table, avec des yeux fixes[4] et sauvages. En face
de ces morts, Françoise, prise d'horreur,* s'était
jetée à terre, dans un coin. Elle se croyait là plus 25
petite et moins en danger.* Cependant, on était allé
prendre tous les matelas de la maison, on avait
rempli à moitié l'ouverture de la fenêtre. La salle se
remplissait de débris.[5]

[1] armoire, wardrobe. [2] (protéger), to protect. [3] (place),
room. [4] (fixe), fixed, staring. [5] débris, wreckage, (debris).

« Cinq heures, » dit le capitaine. « Tenez bon[1] . . .
Ils vont chercher à passer l'eau. »

A ce moment, Françoise poussa un cri.[2]   Une balle
venait de lui toucher le cou légèrement en passant.
5 Quelques gouttes de sang parurent.   Dominique la
regarda; puis, s'approchant de la fenêtre, il tira son
premier coup, et il ne s'arrêta plus.   Il chargeait,
tirait, sans faire attention à ce qui se passait autour
de lui.   De temps en temps, seulement, il jetait un
10 coup d'œil sur Françoise.

Les Prussiens, suivant la ligne des peupliers, essayaient de passer la Morelle, mais aussitôt qu'un[3]
d'entre eux se montrait hasardeux, il tombait frappé
à la tête par une balle de Dominique.   Le capitaine
15 dit quelque chose d'aimable au jeune homme, mais
celui-ci ne l'entendait pas.   Une balle lui blessa
légèrement l'épaule, une autre lui frappa le bras.   Et
il tirait toujours.

Il y eut deux nouveaux morts.   Les matelas étaient
20 en morceaux.   Une dernière fusillade manqua d'emporter[4] le moulin.   On ne pouvait plus y tenir.   Cependant, l'officier disait de nouveau:

« Tenez bon . . . encore une demi-heure. »

Maintenant, il comptait les minutes.   Il avait
25 promis à ses chefs d'arrêter l'ennemi là jusqu'au soir,
et il ne serait pas parti avant l'heure qu'il avait
fixée.   Il gardait toujours son air aimable, souriait à
Françoise, pour lui donner du courage.

[1] **Tenez bon,** Stand firm.   [2] **pousser un cri,** to utter a cry,
scream.   [3] (**aussitôt que**), as soon as.   [4] **manqua d'emporter,**
almost carried away.

Il n'y avait plus que quatre soldats dans la salle. Les Prussiens se montraient en masse sur l'autre bord de la Morelle, et il était clair qu'ils allaient passer la rivière. Quelques minutes passèrent encore. Le capitaine ne voulait pas donner l'ordre de partir, 5 quand le sergent courut vers lui, en disant:

« Ils sont sur la route; ils vont nous prendre par derrière. »[1]

Les Prussiens devaient avoir trouvé[2] le pont. Le capitaine tira sa montre.   10

« Encore cinq minutes, » dit-il. « Ils ne seront pas ici avant cinq minutes. »

Puis, à six heures précises,[3] il fit sortir ses hommes par une porte qui donnait sur une petite rue du village. De là, ils se jetèrent dans un fossé et gagnè- 15 rent[4] la forêt de Sauval. Avant de partir l'officier avait salué[5] le père Merlier, en lui disant:

« Amusez*-les . . . Nous reviendrons. »

Dominique était resté seul dans la salle. Il tirait toujours, n'entendant rien, ne comprenant rien. Il 20 ne sentait que le besoin de défendre Françoise. Les soldats étaient partis, sans qu'il le sût.[6] Soudain, il y eut un grand bruit. Les Prussiens, par derrière, venaient de pénétrer dans la cour. Il tira un dernier coup, et ils tombèrent sur lui, comme son fusil fumait 25 encore.

---

[1] **par derrière,** from the rear. [2] **devaient avoir trouvé,** must have found. [3] **précis,** exact, precise; **à six heures précises,** at exactly six o'clock. [4] **(gagner),** to reach. [5] **saluer,** to greet; salute. [6] **sans qu'il le sût,** without his knowing it.

Quatre hommes le tenaient. Ils voulurent le tuer
tout de suite. Françoise s'était jetée à genoux devant
eux, en les priant de lui laisser la vie. Mais un officier
entra et dit quelques mots en allemand[1] aux soldats,
5 puis il se tourna vers Dominique et lui dit froidement,
en très bon français:

« Vous serez fusillé[2] dans deux heures. »

III

C'était un règlement de guerre. Tout Français
n'appartenant pas à l'armée régulière* et pris les
10 armes à la main, devait être fusillé.[3]

L'officier, un homme grand et maigre, d'une cinquantaine d'années, fit quelques questions à Dominique:

« Vous êtes de ce pays ? »

15 « Non, je suis Belge. »[4]

« Pourquoi avez-vous pris les armes ? ... Tout
ceci ne doit pas être votre affaire. »

Dominique ne répondait pas. A ce moment,
l'officier aperçut Françoise, debout et très pâle, qui
20 écoutait. Sur son cou blanc, sa légère blessure[5]
mettait une ligne rouge. Il parut comprendre, et
ajouta seulement:

« Il est vrai que vous avez tiré, alors ? »

[1] **allemand,** German.   [2] **(fusiller),** to shoot (*as a punishment*).   [3] **devait être fusillé,** was to be shot.   [4] **(Belge),** Belgian.   [5] **(blessure),** wound.

22

« J'ai tiré autant que j'ai pu, » répondit tranquillement Dominique.

La réponse était inutile, parce qu'il était noir de poudre[1] et taché de quelques gouttes de sang qui avaient coulé de sa blessure à l'épaule.   5

« C'est bien, » ajouta l'officier. « Vous serez fusillé dans deux heures. »

Françoise ne cria pas. Elle joignit[2] les mains et les éleva dans un mouvement de désespoir. L'officier aperçut ce mouvement. Deux soldats avaient em- 10 mené Dominique dans une chambre voisine, où ils devaient le garder.[3] La jeune fille était tombée sur une chaise, n'ayant plus de forces; elle ne pouvait pleurer, elle respirait avec peine.[4] Cependant, l'officier l'examinait toujours. Il finit par lui de- 15 mander:

« Ce garçon est votre frère ? »

Elle dit non de la tête. Il ne sourit pas. Puis, au bout d'un silence:

« Il habite le pays depuis longtemps ? »   20

Elle dit oui, d'un nouveau signe.

« Alors il doit très bien connaître les bois voisins ? »

Cette fois, elle parla.

« Oui, monsieur, » dit-elle, en le regardant avec 25 quelque surprise.

Il n'ajouta rien et tourna le dos à la jeune fille en demandant qu'on lui amenât le maire du village.

---

[1] **poudre,** powder.   [2] **joindre,** to join, clasp (*hands*).   [3] **devaient le garder,** were to guard him.   [4] **peine,** difficulty.

Mais Françoise s'était levée, croyant avoir compris ses questions, et encore une fois remplie d'espoir. Ce fut elle-même qui courut pour trouver son père.

Le père Merlier, après le dernier coup de fusil, était
5 descendu pour examiner sa roue. Il aimait sa fille, il avait du respect pour Dominique, mais sa roue tenait aussi une large* place dans son cœur. Puisque les deux petits, comme il les appelait, avaient échappé à la mort, il pouvait maintenant soigner[1] sa chère
10 roue, qui avait profondément souffert. Et, baissé sur elle, il en examinait les blessures d'un air bien triste.

De bas en haut, la vieille roue était pleine de trous, une partie en était en petits morceaux. Le père
15 Merlier mettait les doigts dans les trous des balles; il pensait à la façon dont il pourrait réparer les dégâts. Françoise le trouva qui remplissait déjà des trous avec des débris.

« Père, » dit-elle, « ils vous demandent. »
20 Et elle pleura enfin, en lui disant ce qu'elle venait d'entendre. Le père Merlier lui expliqua qu'on ne fusillait pas les gens comme ça. Il fallait voir. Et il rentra dans le moulin, de son air silencieux et calme.

Quand l'officier lui eut demandé des provisions
25 pour ses hommes, il répondit qu'on ne recevrait rien des habitants de Rocreuse si l'on employait la force. Il voulait tout faire, mais il faudrait le laisser agir seul. L'officier parut se fâcher; puis, soudain, il consentit,* en lui demandant:

[1] (soigner), to care for, look after, attend to.

« Ces bois-là, en face, comment les nommez-vous ? »

« Les bois de Sauval. »

« Et quelle est leur étendue ? »[1]

Le meunier le regarda dans les yeux.   5

« Je ne sais pas, » répondit-il.

Et il sortit.

Une heure plus tard, les provisions et l'argent de-mandés par l'officier, étaient dans la cour du moulin. La nuit venait. Françoise suivait avec anxiété* les 10 mouvements des soldats. Elle n'allait pas loin de la chambre dans laquelle était enfermé Dominique. Vers sept heures, elle vit l'officier entrer chez le prisonnier, et, pendant un quart[2] d'heure, elle en-tendit leurs voix qui s'élevaient.   15

Un instant, l'officier reparut pour donner un ordre en allemand, qu'elle ne comprit pas; mais, quand douze hommes furent venus se mettre en rang dans la cour, le fusil au bras, elle commença à trembler, elle se sentit mourir. On allait donc le fusiller. 20 Les douze hommes restèrent là dix minutes; la voix de Dominique continuait de s'élever. Enfin, l'officier sortit, en fermant la porte et en disant:

« C'est bien, pensez-y . . . Je vous donne jusqu'à demain matin. »   25

Et, d'un signe, il renvoya les hommes. Françoise restait, sans dire un mot. Le père Merlier, qui avait continué de fumer sa pipe, en regardant les soldats

---

[1] (étendue), *n.* extent. [2] **quart,** quarter; **quart d'heure,** quarter of an hour.

d'un air tranquille, vint la prendre par le bras, et l'emmena dans sa chambre.

« Tiens-toi tranquille, »[1] lui dit-il, « essaie de dormir . . . Demain, nous verrons. »

5 En sortant, il ferma à clef la porte de sa chambre, croyant que les femmes ne sont bonnes à rien, quand il s'agit d'affaires sérieuses. Cependant, Françoise ne se coucha pas. Elle resta longtemps assise sur son lit, écoutant les bruits de la maison. Les soldats
10 allemands chantaient et riaient dans la cour. Dans le moulin même, des pas sonnaient de temps en temps, sans doute des sentinelles.*

Mais, ce qui l'intéressait le plus, c'étaient les bruits qu'elle pouvait entendre dans la chambre qui
15 se trouvait sous la sienne. Plusieurs[2] fois, elle se coucha par terre, elle mit son oreille contre le plancher. C'était la chambre où l'on avait enfermé Dominique. Il marchait sans doute du mur à la fenêtre, parce qu'elle entendit longtemps le bruit régulier de ses
20 pas; puis, soudain, elle n'entendit plus rien. Dominique s'était sans doute assis. De plus, toute la maison devint silencieuse. Alors, elle ouvrit sa fenêtre très doucement et regarda dehors.

La nuit était tranquille et chaude. La lune, qui
25 se couchait derrière les bois de Sauval, éclairait[3] la campagne d'une lumière douce et faible comme celle d'une lampe qui s'éteint. L'ombre des grands arbres faisait des barres[4] noires à travers les champs et la route.

[1] **Tiens-toi tranquille,** Keep quiet. [2] **plusieurs,** several.
[3] **(éclairer),** to light up. [4] **barre,** bar, rung.

Mais Françoise ne pensait pas au charme de la nuit. Elle examinait la campagne, cherchant les sentinelles que les Allemands avaient dû mettre[1] de ce côté. Elle voyait bien leurs ombres le long de la Morelle. Une seule se trouvait devant le moulin, de 5 l'autre côté de la rivière, près d'un peuplier. C'était un grand garçon, qui se tenait debout, la figure tournée vers le ciel, de l'air d'un berger qui rêve.

Alors, elle revint s'asseoir sur son lit. Elle y resta une heure, abandonnée* à ses pensées. Puis elle 10 écouta de nouveau; il n'y avait plus le moindre[2] bruit dans la maison. Elle retourna à la fenêtre, jeta un coup d'œil; mais la lune éclairait encore trop fort le moulin et la rivière. Elle se remit à attendre.

Enfin, l'heure lui parut venue. La nuit était toute 15 noire. Elle n'apercevait plus la sentinelle en face, la campagne s'étendait comme une mer d'encre.[3] Elle se décida. Il y avait là, passant près de la fenêtre, une échelle de fer, des barres fixées dans le mur, qui montait de la roue au toit du moulin, mais qui dis- 20 paraissait depuis longtemps sous les lierres épais qui couvraient ce côté du bâtiment.

Françoise, bravement, passa la jambe hors de[4] la fenêtre, saisit une des barres de fer et se trouva suspendue[5] en l'air. Elle commença à descendre. 25 Soudain, une pierre se détacha* du mur et tomba dans la Morelle. Elle s'était arrêtée, tremblante. Mais elle comprit que le bruit régulier de l'eau qui

---

[1] **avaient dû mettre,** must have placed. [2] **moindre,** less, least. [3] **encre,** ink. [4] (HORS DE), *prep.* out of. [5] (**suspendu** *p.p.* **suspendre,** suspended.

tombait sur la roue, couvrait à distance* tous les bruits qu'elle pouvait faire, et elle descendit alors plus courageusement.

Arrivée à la hauteur[1] de la chambre de Dominique, elle s'arrêta. Une nouvelle difficulté* manqua de lui faire perdre tout son courage: la fenêtre de la chambre en bas n'était pas régulièrement placée au-dessous de la fenêtre de sa chambre. Elle se trouvait à quelque distance de l'échelle, et quand Françoise la chercha avec la main, elle ne rencontra que le mur. Lui faudrait-il donc remonter? Ses bras se fatiguaient. La vue de la Morelle, au-dessous d'elle, commençait à lui faire peur.

Alors, elle prit de petits morceaux de plâtre et les jeta dans la fenêtre de Dominique. Il n'entendait pas, peut-être dormait-il. Elle essaya de nouveau, elle déchirait la peau[2] de ses doigts. Et elle était au bout de ses forces, elle se sentait tomber, quand Dominique ouvrit enfin doucement.

« C'est moi, » dit-elle. « Prends-moi vite, je tombe. »

Il la saisit et l'apporta dans la chambre. Là, elle commença à pleurer, et ne put trouver de mots à lui dire. Enfin, elle se calma.*

« Vous êtes gardé? » demanda-t-elle, à voix basse.

Dominique fit un simple signe, en montrant sa porte. De l'autre côté, on entendait la respiration[3] régulière d'un homme qui dormait. La sentinelle

---

[1] (hauteur), height; à la hauteur de, at the level of.
[2] peau, skin. [3] (respiration), breathing.

avait dû se coucher[1] par terre, contre la porte, pour empêcher le prisonnier de sortir de sa chambre.

« Il faut partir, » dit-elle vivement. « Je suis venue pour vous prier de vous échapper et pour vous dire adieu. »[2]

Mais Dominique ne paraissait pas l'entendre.

« Comment, c'est vous ! » disait-il. « Oh ! comme vous m'avez fait peur ! Vous pouviez vous tuer. »

Il lui prit les mains, il les baisa.

« Que je vous aime, Françoise ! . . . Vous êtes aussi courageuse que bonne. Je ne demandais qu'une chose avant de mourir, c'était de vous revoir . . . Vous voilà, et maintenant ils peuvent me fusiller. Quand j'aurai passé un quart d'heure avec vous, je serai prêt. »

Il l'avait attirée à lui, et la serrait dans ses bras. Ils oubliaient le danger, dans la joie de ce moment.

« Ah ! Françoise, » continua Dominique d'une voix caressante, « c'est aujourd'hui le vingt-cinq août, le jour si longtemps attendu de notre mariage. Rien n'a pu nous séparer, puisque nous voilà tous les deux seuls, fidèles au rendez-vous[3] . . . N'est-ce pas ? c'est à cette heure le matin des noces. »[4]

« Oui, oui, » disait-elle, « le matin des noces. »

Ils s'embrassèrent, en tremblant d'émotion. Mais tout à coup, elle s'échappa de ses bras.

« Il faut partir, il faut partir, » dit-elle. « Ne perdons pas une minute. »

[1] **avait dû se coucher,** must have lain down. [2] (**adieu**), good-bye. [3] (**rendez-vous**), appointment, meeting (place). [4] NOCES (*pl.*), wedding (ceremony).

Et comme il tendait les bras dans l'ombre pour la reprendre, elle ajouta:

« Oh ! écoute-moi, Dominique . . . Si tu meurs, je mourrai. Dans une heure, le soleil se lèvera. Je 5 veux que tu partes tout de suite. »

Alors, vite, clle lui expliqua son projet. L'échelle de fer descendait jusqu'à la roue; là, il pourrait entrer dans le bateau qui se trouvait derrière. Il lui serait facile après de gagner l'autre bord de la rivière et de 10 s'échapper.

« Mais il doit y avoir[1] des sentinelles ? » dit-il.

« Une seule, en face, au pied du premier peuplier. »

« Et si cet homme m'aperçoit, s'il veut crier ? »

Françoise trembla. Elle lui mit dans la main un 15 couteau qu'elle avait apporté. Il y eut un silence.

« Et votre père, et vous ? » continua Dominique. « Mais non, je ne puis partir . . . Quand je ne serai plus là, ces soldats vous tueront peut-être . . . Vous ne les connaissez pas. Ils m'ont offert de me laisser 20 partir, si je voulais les conduire dans la forêt de Sauval. Quand ils ne me trouveront plus, ils pourront tout faire. »

La jeune fille répondait simplement à toutes les raisons qu'il donnait:

25   « Par amour pour moi, partez . . . Si vous m'aimez, Dominique, ne restez pas ici une minute de plus. »

Puis, elle promit de remonter dans sa chambre. On ne saurait pas qu'elle l'avait aidé. Elle finit par

---

[1] **il doit y avoir,** there must be.

le prendre dans ses bras, par l'embrasser, pour le décider. Il ne fit plus qu'une question.

« Dites-moi que votre père connaît votre projet et qu'il me conseille[1] de m'échapper ? »

« C'est mon père qui m'a envoyée, » répondit Fran- 5 çoise.

Elle mentait.[2] Dans ce moment, elle n'avait qu'un besoin immense, échapper à cette terrible pensée que le soleil allait être le signal* de la mort de son fiancé. Quand il serait loin, tous les malheurs 10 pouvaient lui arriver; cela lui paraîtrait doux, du moment où il vivrait.

« C'est bien, » dit Dominique, « je ferai comme il vous plaira. »

Alors, ils ne parlèrent plus. Dominique alla 15 rouvrir la fenêtre. Il prit Françoise dans ses bras et lui dit un dernier adieu. Puis, il l'aida à saisir l'échelle, et la suivit. Mais il ne voulut pas descendre une seule barre avant de la savoir dans sa chambre. Quand Françoise fut rentrée, elle laissa tomber d'une 20 voix légère comme un souffle:

« Au revoir, je t'aime ! »

Elle resta à la fenêtre, elle essaya de suivre Dominique. La nuit était toujours très noire. Elle chercha la sentinelle et ne la trouva pas; seul, le 25 peuplier faisait une tache pâle, au milieu de l'ombre. Pendant un instant, elle entendit frotter le corps de Dominique contre le mur; puis, il y eut un bruit léger dans l'eau derrière la roue. Une minute plus

---

[1] **conseiller,** to advise. [2] MENTIR, to lie, tell a lie.

tard, elle vit la forme sombre du bateau sur l'eau de la Morelle.

Alors, une anxiété terrible la reprit. A chaque instant, elle croyait entendre le cri de la sentinelle; 5 les moindres bruits dans l'ombre lui paraissaient des pas de soldats, des bruits de fusils qu'on armait. Cependant, les secondes passaient, la campagne gardait toujours sa paix. Dominique devait arriver[1] à l'autre bord de la rivière. Françoise ne voyait 10 plus rien. Et soudain, elle entendit un bruit de pas, un cri sourd, le bruit d'un corps qui tombait. Puis, le silence devint plus profond. Alors, comme si elle avait senti la mort passer, elle resta toute froide, en face de l'épaisse nuit.

IV

15 Au point du jour, des éclats[2] de voix s'élevèrent de la cour du moulin. Le père Merlier était venu ouvrir la porte de Françoise. Elle descendit dans la cour, pâle et très calme. Mais là, elle ne put retenir un cri d'horreur, en face d'un mort, qui était couché 20 sous le vieux peuplier, couvert d'un manteau.[3]

Autour du corps, des soldats prussiens remuaient, criaient de colère, demandaient vengeance.* L'officier appela le père Merlier, comme maire du village.

« Voici, » lui dit-il d'une voix remplie de colère, 25 « un de nos hommes qu'on a trouvé assassiné* sur

---

[1] **devait arriver,** must have arrived.   [2] (**éclat**), burst, sound.
[3] **manteau,** cloak.

le bord de la rivière . . . Il nous faut un exemple
public, et je compte que vous allez nous aider à
trouver l'assassin. »*

« Tout ce que vous voudrez, » répondit le meunier
avec calme. « Mais ce ne sera pas facile. »   5

L'officier s'était baissé pour ôter le manteau, qui
cachait la figure du mort. Alors apparut une horrible* blessure. La sentinelle avait été frappée à la
poitrine, et le couteau était resté dans la blessure
ouverte. C'était un couteau de cuisine.¹   10

« Regardez ce couteau, » dit l'officier au père
Merlier, « peut-être nous aidera-t-il à trouver l'assassin. »

Le vieux répondit sans qu'un muscle* de sa figure
ne² remuât: 15

« Tous les paysans ont des couteaux comme celui-
là dans leurs cuisines. Peut-être que votre homme
s'ennuyait de se battre et qu'il se sera tué lui-même.
Cela se voit. »

« En voilà assez ! »³ cria l'officier. « Je ne sais ce   20
qui me retient de mettre le feu aux quatre coins du
village. »

La colère heureusement l'empêchait d'apercevoir
le profond changement qui s'était produit sur le
visage⁴ de Françoise. Elle avait été obligée de s'as-   25
seoir sur le banc de pierre, près de la porte d'entrée.
Ses yeux ne quittaient plus ce corps, étendu à terre,
presque à ses pieds. C'était un grand et beau garçon,

¹ **cuisine,** kitchen. ² **ne:** disregard. ³ **En voilà assez !**
Enough ! That will do ! ⁴ visage, face.

qui ressemblait à Dominique, avec des cheveux blonds
et des yeux bleus. Elle pensait que le mort avait
peut-être laissé là-bas, en Allemagne, quelque amou-
reuse qui allait pleurer. Et elle reconnaissait son
5 couteau dans la poitrine du mort. Elle l'avait tué.

Soudain, des soldats coururent dans la cour. On
venait de s'apercevoir que Dominique n'était plus
dans sa chambre. Cela produisit un véritable* orage
de colère. L'officier monta tout de suite, regarda par
10 la fenêtre laissée ouverte, comprit tout, et revint.

« C'est ce misérable ! c'est ce misérable ! » criait-il.
« Il aura gagné les bois . . . Mais il faut qu'on nous
le retrouve, ou le village payera pour lui. »

Et, se tournant vers le meunier, il demanda:

15   « Allons ! vous devez savoir où il se cache ? »

Le père Merlier rit silencieusement, en montrant
la large[1] étendue des collines couvertes de bois.

« Comment voulez-vous trouver un homme dans
cette forêt-là ? » dit-il.

20   « Oh ! il doit y avoir[2] des trous que vous connaissez. Je vais vous donner dix hommes. Vous les con-
duirez. »

« Je veux bien. Seulement, il nous faudra toute
une semaine pour chercher dans tous les coins du
25 pays. »

La tranquillité du vieux mit l'officier en rage. Il
comprenait comme il était inutile de chercher
Dominique dans cette immense étendue de bois. Ce
fut alors qu'il aperçut sur le banc Françoise pâle et

---

[1] (large), wide.   [2] il doit y avoir, there must be.

tremblante. La douleur de la jeune fille le frappa.
Il examina le meunier et Françoise, l'un après l'autre;
puis, il demanda au vieux, avec un regard pénétrant:

« Est-ce que cet homme n'est pas l'amoureux de
votre fille ? »   5

Le père Merlier se retint avec peine de se jeter sur
l'officier. Il ne répondit pas. Françoise avait mis
son visage entre ses mains.

« Oui, c'est cela, » continua le Prussien, « vous ou
votre fille l'avez aidé à échapper . . . Une dernière 10
fois, voulez-vous nous le ramener ? »

Le meunier ne répondit pas. Il avait tourné le
dos à l'officier, faisant semblant de ne pas savoir
qu'on lui parlait. L'officier éclata en colère.

« Eh bien ! » déclara-t-il, « vous allez être fusillé à 15
sa place. »

Le père Merlier garda son calme. Sans doute, il
ne croyait pas qu'on fusillât un homme si facilement.
Puis, quand une douzaine de soldats vinrent se
mettre en rang devant lui, il dit: 20

« Alors, c'est sérieux ? . . . Je veux bien. S'il vous
faut fusiller quelqu'un, moi autant qu'un autre. »[1]

Mais Françoise s'était levée, rendue comme folle
par la terreur.

« Ayez pitié, monsieur, » s'écria-t-elle, « ne faites 25
pas de mal à mon père. Tuez-moi à sa place . . .
C'est moi qui ai aidé Dominique à échapper. Moi
seule suis coupable. »

[1] S'il vous faut . . . un autre, If you must shoot someone,
it may as well be I as another.

« En voilà assez, ma fille, » dit le père Merlier.
« Pourquoi mens-tu ? . . . Elle a passé la nuit enfermée dans sa chambre, monsieur. Elle ment, je
vous jure. »[1]

5　« Non, je ne mens pas, » déclara la jeune fille.
« Je suis descendue par la fenêtre, j'ai décidé Dominique à partir . . . C'est la vérité, la seule vérité . . . »

Le vieux était devenu très pâle. Il voyait bien
dans ses yeux qu'elle ne mentait pas, et cette his-
10 toire le remplit de terreur. Ah ! ces enfants, avec
leurs cœurs, comme ils gâtaient tout ! Alors, il se
fâcha.

« Elle est folle, ne l'écoutez pas. Elle vous raconte des histoires stupides. . . . Allons, finissons-
15 en ! »[2]

Elle voulut protester* encore. Elle se jeta à
genoux, elle joignit les mains. L'officier, tranquillement, regardait cette lutte[3] douloureuse.

« Mon Dieu ! » finit-il par dire, « je prends votre
20 père, parce que je ne tiens plus l'autre . . . Essayez
de retrouver l'autre, et votre père sera libre. »

Un moment, elle le regarda, les yeux remplis
d'horreur à cette proposition.

« C'est horrible, » dit-elle, lentement. « Où vou-
25 lez-vous que je retrouve Dominique, à cette heure ?
Il est parti, je ne sais plus. »

« Enfin, choisissez. Lui ou votre père. »

« Oh ! mon Dieu ! est-ce que je puis choisir ?

---

[1] **jurer,** to swear.　[2] **Allons, finissons-en !** Come ! let's make
an end of it !　[3] (LUTTE), struggle.

36

Même si je savais où est Dominique, je ne pourrais pas choisir ! . . . C'est mon cœur que vous coupez. J'aimerais mieux mourir tout de suite. Tuez-moi . . . tuez-moi . . . »

L'officier devenait impatient. Il s'écria: 5

« En voilà assez ! Je veux être bon, je consens à vous donner deux heures . . . Si, dans deux heures, votre amoureux n'est pas là, votre père payera pour lui. »

Et il fit conduire le père Merlier dans la chambre 10 qui avait servi de prison à Dominique. Le vieux demanda du tabac[1] et se mit à fumer. Sur son visage, on ne lisait pas d'émotion. Seulement, quand il fut seul, tout en fumant,[2] il pleurait. Sa pauvre et chère enfant, comme elle souffrait ! 15

Françoise était restée au milieu de la cour. Des soldats prussiens passaient en riant. Plusieurs lui disaient des mots qu'elle ne comprenait pas. Elle regardait la porte par laquelle son père venait de disparaître. Et, lentement, elle portait la main à sa 20 tête, comme pour l'empêcher d'éclater.

L'officier lui tourna le dos, en disant:

« Vous avez deux heures. Essayez de les rendre utiles. »

Elle avait deux heures . . . deux heures . . . Alors, 25 comme une machine,* elle sortit de la cour et marcha tout droit devant elle. Où aller ? que faire ? Elle n'essayait même pas de prendre une décision, parce

---

[1] **tabac,** tobacco. [2] **tout en fumant,** while smoking, as he smoked.

qu'elle sentait bien comme c'était inutile. Cependant, elle aurait voulu voir Dominique. Tous les deux, ils auraient peut-être trouvé un moyen.

Et elle descendit au bord de la Morelle, qu'elle
5 traversa à un endroit où il y avait de grosses pierres. Ses pieds la conduisirent sous le premier peuplier, au coin du champ. Comme elle se baissait, elle aperçut une tache de sang dans l'herbe. C'était bien là. Dominique avait dû courir,[1] on voyait une ligne
10 de grands pas traversant le champ. Puis, là-bas, au loin, elle les perdit de vue. Mais dans un champ voisin elle crut les retrouver. Cela la conduisit au bord de la forêt, où tout se perdait.

Cependant, Françoise pénétra sous les arbres.
15 Elle se sentait mieux d'être seule. Elle s'assit un instant. Puis, en se souvenant de l'heure qui passait, elle se releva. Combien s'était passé de temps depuis son départ du moulin ? Cinq minutes ? une demi-heure ? Elle n'en savait rien. Peut-être Dominique
20 était-il allé se cacher dans un coin du bois où ils avaient, une après-midi, mangé des noix[2] ensemble. Elle y alla, l'examina.

Il n'y avait là qu'un oiseau qui chantait tristement dans un buisson. Alors, elle pensa que Domi-
25 nique s'était caché dans un autre endroit où il se mettait quelquefois quand il chassait dans la forêt; mais l'endroit était vide. A quoi bon le chercher ? elle ne le trouverait pas. Mais le désir de le revoir la fit marcher plus vite. L'idée qu'il avait dû monter[3]

[1] **avait dû courir,** must have run. [2] **noix,** nut. [3] **il avait dû monter,** he must have climbed.

38

dans un arbre lui vint tout à coup. Elle avança, les
yeux levés, et pour qu'il la sût près de lui, elle l'appelait tous les quinze pas.[1] Des coucous répondaient,
un souffle qui passait dans les branches lui faisait
croire qu'il était là et qu'il descendait.   5

Une fois même, elle crut le voir; elle s'arrêta, la
respiration coupée, avec le désir de courir chez elle.
Qu'allait-elle lui dire? Venait-elle donc pour
l'emmener et le faire fusiller? Oh, non, elle ne
parlerait pas de ces choses. Elle lui crierait de s'en 10
aller, de ne pas rester dans les bois. Puis, la pensée
de son père qui l'attendait, lui fit souffrir d'une
douleur aiguë. Elle tomba à genoux dans l'herbe,
en pleurant, en s'écriant:

« Mon Dieu! mon Dieu! pourquoi suis-je là! » 15

Elle était folle d'être venue. Et, comme prise de
peur, elle courut, elle chercha à sortir de la forêt.
Trois fois, elle se trompa,[2] et elle croyait qu'elle ne
retrouverait plus le moulin, quand elle sortit dans la
plaine, en face de Rocreuse. A la vue du village, 20
elle s'arrêta. Est-ce qu'elle allait rentrer seule?

Elle restait debout, quand une voix l'appela doucement:

« Françoise! Françoise! »

Et elle vit Dominique qui levait la tête, au bord 25
d'un fossé. Juste Dieu! Elle l'avait trouvé! Le
ciel[3] voulait donc sa mort? Elle retint un cri, elle
se laissa glisser dans le fossé.

---

[1] **tous les quinze pas,** every fifteen steps. [2] **tromper,** to
deceive; **se tromper,** to be mistaken. [3] **Le ciel,** Heaven.

39

« Tu me cherchais ? » demanda-t-il.

« Oui, » répondit-elle, ne sachant ce qu'elle disait.

« Ah ! que se passe-t-il ? »

Elle baissa les yeux, et lui répondit:

5 « Mais, rien, j'étais anxieuse, je désirais te voir. »

Alors, satisfait[1] do sa réponse, il lui dit qu'il
n'avait pas voulu s'en aller. Il voulait les protéger.
Ces Prussiens pouvaient chercher la vengeance en
tuant les femmes et les vieux. Enfin, tout allait
10 bien, et il ajouta en riant:

« La noce sera pour la semaine prochaine,[2] voilà
tout. »

Puis, comme elle laissait voir toujours son
anxiété, il redevint sérieux.

15 « Mais, tu me caches quelque chose. »

« Non, je te jure. J'ai couru pour venir. »

Il l'embrassa, en disant que ce n'était pas prudent
pour elle et pour lui de causer plus longtemps; et
il voulut remonter le fossé, pour rentrer dans la
20 forêt. Elle le retint. Elle tremblait.

« Écoute, tu ferais peut-être bien de rester là . . .
Personne ne te cherche, tu ne cours pas de danger. »

« Françoise, tu me caches quelque chose, » dit-il
25 de nouveau.

De nouveau, elle jura qu'elle ne lui cachait rien.
Seulement, elle aimait mieux le savoir près d'elle.
Et elle donna d'autres raisons. Elle lui parut si

---

[1] **satisfait** *p.p.* **satisfaire,** satisfied, contented.   [2] **prochain,**
adj. next.

étrange, que maintenant lui-même n'aurait pas voulu s'en aller. De plus, il croyait que les Français allaient revenir. On avait vu des détachements français du côté de Sauval.

« Ah ! qu'ils soient ici le plus tôt possible ! »[1] s'écria-t-elle.

A ce moment, onze[2] heures sonnèrent à l'église de Rocreuse. Les coups[3] arrivaient, clairs et distincts.* Elle se leva vite, prise de peur; il y avait deux heures depuis qu'elle[4] avait quitté le moulin. 10

« Écoute, » dit-elle rapidement, « si nous avons besoin de toi, je monterai dans ma chambre et avec mon mouchoir je te ferai signe de venir. »

Et elle partit en courant, pendant que Dominique se couchait au bord du fossé, pour surveiller le 15 moulin.

Comme elle allait rentrer dans Rocreuse, Françoise rencontra un vieux vagabond, le père Bontemps, qui connaissait tout le pays. Il la salua, il venait de voir le meunier au milieu des Prussiens. Puis, en 20 faisant des signes de croix et en disant des mots dans sa barbe, il continua sa route.

« Les deux heures sont passées, » dit l'officier quand Françoise parut.

Le père Merlier était là, assis sur le banc, près de 25 la porte d'entrée. Il fumait toujours. La jeune fille, de nouveau, pria, pleura, tomba à genoux.

---

[1] qu'ils soient . . . possible, may they be here as soon as possible. [2] onze, eleven. [3] (coup), stroke (*of a bell*). [4] il y avait . . . qu'elle, it had been two hours since she . . .

Elle voulait gagner du temps. Elle avait l'espoir de voir revenir les Français, et pendant qu'elle pleurait, elle croyait entendre au loin les pas réguliers d'une armée. Oh ! s'ils avaient paru, s'ils les 5 avaient tous rendus libres !

« Écoutez, monsieur, une heure, encore une heure . . . Vous pouvez bien nous donner encore une heure ! »

Mais l'officier ne l'écoutait pas. Il commanda à 10 deux hommes de la saisir et de l'emmener, pour qu'on fusillât le vieux tranquillement. Alors une lutte horrible se passa dans le cœur de Françoise. Elle ne pouvait laisser assassiner[1] ainsi son père. Non, non, elle aimerait mieux mourir avec Dominique; 15 et elle courait vers sa chambre, quand Dominique lui-même entra dans la cour.

L'officier et les soldats jetèrent un cri de triomphe. Mais lui, comme si Françoise était là toute seule, s'avança vers elle, tranquille, un peu sévère.*
20 « C'est mal, » dit-il. « Pourquoi ne m'avez-vous pas ramené ? C'est le père Bontemps qui m'a dit ce qui se passait . . . Enfin, me voilà. »[2]

V

Il était trois heures. De grands nuages noirs avaient lentement rempli le ciel, la fin de quelque 25 orage voisin. Ce ciel couleur de cuivre changeait la

[1] **laisser assassiner,** allow to be assassinated. [2] **me voilà,** here I am.

42

vallée de Rocreuse, si gaie au soleil, en un endroit sombre et terrible.

L'officier prussien avait fait enfermer Dominique, sans déclarer quelle décision il allait prendre. Depuis midi, Françoise mourait d'une anxiété cruelle. 5 Elle ne voulait pas écouter le conseil[1] de son père et quitter la cour. Elle attendait les Français. Mais les heures passaient, la nuit allait venir, et tout ce temps gagné ne paraissait pas changer l'horrible fin.

Cependant, vers trois heures, les Prussiens com- 10 mencèrent à se préparer pour le départ. Depuis un instant, l'officier s'était, comme la veille, enfermé avec Dominique. Françoise avait compris qu'il s'agissait de la vie du jeune homme. Alors, elle joignit les mains, elle pria. Le père Merlier, à côté 15 d'elle, gardait toujours le silence.

« Oh ! mon Dieu ! Oh ! mon Dieu ! » s'écriait Françoise, « ils vont le tuer . . . »

Le meunier l'attira près de lui et la prit sur ses genoux comme un enfant. 20

A ce moment, l'officier sortait. Derrière lui, deux hommes amenaient Dominique.

« Jamais ! jamais ! » criait ce dernier. « Je suis prêt à mourir. »

« Pensez-y bien, » continua l'officier. « Ce service 25 que vous ne voulez pas nous rendre, un autre nous le rendra. Je vous offre la vie. Il s'agit simplement de nous conduire à Montredon, à travers les bois. Il doit y avoir[2] des chemins. »

---

[1] (**conseil**), advice.   [2] **Il doit y avoir**, There must be.

43

Dominique ne répondait plus.

« Alors, vous ne voulez toujours pas ? »[1]

« Tuez-moi, et finissons-en, » répondit-il.

Françoise, les mains jointes,[2] le priait de loin.
5 Elle oubliait tout, elle lui aurait conseillé une action
lâche.[3] Mais le père Merlier lui saisit les mains.

« Il a raison, » dit-il, d'une voix basse, « il vaut
mieux mourir. »

Une douzaine de soldats se mirent en rang devant
10 Dominique. L'officier attendait une faiblesse[4] du
jeune homme. Il croyait toujours qu'il pourrait le
décider. Il y eut un silence. Au loin, on entendait
de violents coups de tonnerre.[5] Et ce fut dans ce
silence qu'on entendit un cri dehors:

15 « Les Français ! les Français ! »

C'étaient vraiment eux. Sur la route de Sauval,
au bord du bois, on apercevait la ligne des uniformes
rouges. Il y eut, dans le moulin, un désordre*
extraordinaire. Les soldats prussiens couraient de
20 bas en haut du bâtiment. Cependant, pas un coup
de fusil n'avait encore été tiré.

« Les Français ! les Français ! » cria Françoise.

Elle était comme folle. Elle venait de s'échapper
des bras de son père, et elle riait, les bras en l'air.
25 Enfin, ils arrivaient donc, et ils arrivaient à temps,
puisque Dominique était encore là, debout !

Le bruit terrible de douze coups tirés à la fois

[1] **vous ne voulez toujours pas,** you are still unwilling.
[2] (**joint**) *p.p.* **joindre,** clasped. [3] **lâche,** cowardly; *n.m.* coward.
[4] (**faiblesse**), weakness, yielding. [5] **tonnerre,** thunder; **coup
de tonnerre,** clap of thunder.

éclata comme un coup de tonnerre, et la fit se retourner. L'officier venait de dire à voix basse:
« Avant tout, finissons-en. »

Et, poussant lui-même Dominique contre le
mur du moulin, il avait commandé le feu. Quand 5
Françoise se retourna, Dominique était par terre.
Douze balles lui avaient pénétré la poitrine.

Elle ne pleura pas, elle resta stupide. Ses yeux
devinrent fixes, et elle alla s'asseoir sous le peuplier,
à quelques pas du corps. Elle le regardait, en faisant 10
de temps en temps un mouvement involontaire de
la main, comme un petit enfant. Les Prussiens
avaient emmené le père.

Ce fut une belle lutte. Rapidement, l'officier
avait placé ses hommes, comprenant qu'il ne pou- 15
vait s'échapper. Alors, il valait mieux vendre chère-
ment sa vie. Maintenant, c'étaient les Prussiens
qui défendaient le moulin, et les Français qui l'atta-
quaient.* La fusillade commença avec une violence
extraordinaire. Pendant une demi-heure, elle ne 20
s'arrêta pas. Puis, un éclat sourd se fit entendre, et
un boulet[1] cassa une grosse branche du vieux peuplier. Les Français avaient du canon.* La lutte
ne pouvait être longue.

Ah ! le pauvre moulin ! Des boulets le traver- 25
saient d'un bout à l'autre. Une moitié du toit fut
emportée. Deux murs tombèrent en ruine. Mais
c'était surtout du côté de la Morelle que les dégâts
devinrent les plus grands. La rivière emportait

[1] BOULET, cannon ball.

des débris de toutes sortes. Coup sur coup, la vieille roue reçut deux boulets, et les morceaux furent emportés par le courant.[1] C'était l'âme du gai moulin qui venait de s'en aller.

5 Puis, les Français coururent à l'attaque du moulin. Il y eut une lutte terrible, l'épée à la main.[2] Sous le ciel couleur de cuivre, la vallée se remplissait de morts. Les larges champs paraissaient sauvages, avec leurs grands arbres séparés comme des sentinelles, 10 leurs rideaux[3] de peupliers qui y faisaient des taches d'ombre. A droite et à gauche, les forêts étaient comme les murs d'un immense bâtiment qui enfermaient les combattants,* pendant que les fontaines et les eaux courantes prenaient des bruits d'une personne qui pleure, dans la terreur de la campagne.

Françoise n'avait pas bougé,[4] assise en face du corps de Dominique. Le père Merlier venait d'être tué par une balle perdue.[5] Alors, comme les Prussiens étaient tous morts et que[6] le moulin 20 brûlait, le capitaine français entra le premier dans la cour. Depuis le commencement de la guerre, c'était la seule bataille qu'il avait gagnée. Aussi très fier de son succès,* riait-il de son air aimable. Et, apercevant Françoise folle entre les corps de son 25 mari[7] et de son père, au milieu des ruines fumantes du moulin, il la salua gaiement de son épée, en criant: « Victoire !* Victoire ! »

---

[1] (courant), n. current. [2] l'épée à la main, sword in hand. [3] rideau, curtain, screen. [4] bouger, to move, stir. [5] (perdue), stray. [6] que = comme. [7] mari: here, her intended husband.

LIST OF IDIOMS

Numbers following the idiomatic expressions refer to the page and line in the text where the expression first occurs, e.g. **2, 14** = page 2, line 14.

Vocabulary Drill Book

GRADED FRENCH READERS

FIRST SERIES

BY

OTTO F. BOND
The University of Chicago

D. C. HEATH AND COMPANY
BOSTON

ENTRE NOUS

In the *First Series* of the *Graded French Readers*, you will meet approximately twelve hundred *new* words, assuming that your known word-stock in the beginning is represented by the one hundred or so words listed on pages 26–27 of this booklet. About three hundred, or one-fourth, of these words are like, or nearly like, their English equivalents in spelling, and so offer little or no difficulty in reading. Save in a few instances, they are your dependable friends, as recognizable on repeated occurrence as the friends you meet from day to day. We are not concerned with them here.

We are concerned, however, with the remaining nine hundred items. It is true that you will infer the meaning of some of them from their textual setting, and that others will make themselves known to you through the resemblance of their root or stem to words which you already know in French, English, Latin, or some other language. But, however easy to infer they may be in a given context, it is certain that these nine hundred words constitute the main learning burden of the Series.

Furthermore, having been selected in view of their basic utility in reading any and all French, in or out of any particular series, at any level of language study, these nine hundred words deserve your special attention. You will probably never encounter a more widely useful and important group of a thousand words in French than this one, at least for reading purposes.

To assist you in their mastery, we have prepared this booklet. The drills are not exhaustive, but they will aid you in reviewing the *Series* vocabulary, *Book* by *Book*. For thoroughness, we have added drills on the more difficult irregular verb forms, the initial (nucleus) word-stock, the "special" words needed for story-telling, and the 193 idiomatic expressions used in Books I–V.

In giving the instructions, we have used "check" to indicate that you are to compare your work with the text, notes, or end-vocabulary for accuracy in spelling, meaning, and usage. Our suggestion that you pronounce aloud your corrected exercise is prompted by the desire that you add the sound-image of the French word to the visual image, doubly insuring its retention.

At the end of the booklet is a self-scoring vocabulary test, ranging in content over the whole vocabulary. You will find it amusing and valuable as a means of self evaluation of mastery.

VOCABULARY DRILL BOOK

BOOK I

SEPT–D'UN–COUP

I. *Select the two words in each line which are closely related in thought; check, and pronounce the words aloud:*

	A	B	C	D
1.	coup	morceau	enfin	pain
2.	manger	mouche	poche	chasser
3.	tuer	attendre	bout	bataille
4.	trop	beaucoup	enfin	voilà
5.	arbre	peur	oiseau	route
6.	monter	route	pied	mot
7.	haut	tête	vers	baisser
8.	près	montagne	haut	pris
9.	géant	prendre	énorme	essayer
10.	attacher	promesse	corde	rendre
11.	besoin	porte	prisonnier	maison
12.	vitesse	forêt	fenêtre	étroit
13.	bête	corne	bâton	chercher
14.	courir	valeur	vitesse	vivant
15.	arbre	maison	forêt	suivre
16.	vendre	yeux	recevoir	ouvrir
17.	drap	bête	palais	roi
18.	argent	chef	entre	recevoir
19.	suivre	aussi	chef	feu

1

II. *Select the two words in each line which are opposite, or nearly opposite in thought; check, and pronounce the words aloud:*

	A	B	C	D
1.	derrière	puis	toujours	devant
2.	tomber	tenir	finir	commencer
3.	se lever	devoir	tomber	porter
4.	après	premier	loin	dernier
5.	mal	bien	même	gros
6.	oui	puis	près	non
7.	trop	sous	sur	vers
8.	descendre	monter	courir	laisser
9.	après	bu	libre	pris
10.	donner	tueur	ouvrir	garder
11.	parler	dormir	se fâcher	réveiller

III. *Give the English equivalent for the following sentences; check, and pronounce the French sentences aloud:*

1. La femme s'en va. 2. Il se remet à travailler. 3. Elles entrent par la fenêtre. 4. Il n'y fait pas attention. 5. Il veut finir son travail avant de manger le pain. 6. Il la fait attendre. 7. Il ferme et rouvre les yeux très vite. 8. Il croit que c'est une feuille. 9. Si tu fais cela encore, tu le regretteras. 10. Le tailleur se cache dans les branches. 11. Les hommes ne demandent rien de mieux. 12. Le roi ne connaît pas son homme. 13. Quand ce sera fini, il reviendra. 14. Il s'arrête au-dessus des dormeurs. 15. Les deux géants se rendorment. 16. Il apportera les deux têtes. 17. Il ne sait pas ce qui peut arriver. 18. Il vient de tuer sept grosses mouches. 19. Il va attirer l'attention de tout le village. 20. Il met la ceinture. 21. Le fromage ressemble à une pierre. 22. Enfin, il sort de la chambre. 23. Il met le mouchoir dans sa poche. 24. Il va faire savoir au village qui il est. 25. Tout le monde va dire cela. 26. Les lettres sont piquées en rouge.

2

IV. *Give an English equivalent for each of the following words;*
check, and pronounce aloud:

vers	près de	peu	vite	même	toujours	assez
puis	devant	après	tout	trop	enfin	bien
avec	comme	dans	là	par	beaucoup	rien

V. *Complete the following sentences with the suitable word in*
parentheses; check, and pronounce aloud:

1. Le tailleur a voulu (sanglier, sauter, laisser).
2. Il ne veut pas passer (le nez, la nuit, le bruit) sur la montagne.
3. Chaque géant mange une petite (eau, bête, pierre).
4. Le (feu, œil, bruit) du coup est terrible.
5. Le tailleur (dort, doit, dont) comme une pierre.
6. Le géant invite le tailleur à (croire, boire, devoir) avec lui.
7. Le géant (jette, saute, trouve) la pierre en l'air.
8. Il (rend, attend, prend) la pierre entre ses mains.
9. La pierre revient à (l'épreuve, la guerre, la terre).
10. Les deux géants tombent (forts, morts, étroits) à terre.
11. La femme (vend, suit, chasse) de la marmelade.
12. Le tailleur (referme, regarde, ramène) par la fenêtre.
13. Le jour est (quel, gros, beau).
14. Le tailleur chante parce qu'il est (heureux, cheveux, ennuyeux).
15. Il marche toujours tout (roi, doit, droit) devant lui.

VI. SPECIAL WORDS. *Rearrange the following words so as*
to form pairs related in meaning. The special words used in
Book I are marked with an asterisk. Check, and pronounce
aloud:

*ceinture, rond, *corne, s'en aller, *fromage, drap, *sou, bête, *mouche, arbre, vendre, *tronc.

3

VII. IRREGULAR VERB FORMS. *Give the infinitive and English equivalent of the following irregular tense forms; check, and pronounce aloud:*

A. *Present Indicative:* il a, ils boivent, nous croyons, ils disent, vous dites, il doit, tu es, il fait, il meurt, je peux, ils prennent, il reçoit, je sais, ils sont, je suis, il suit, ils tiennent, je vais, il veut, il vient, il vit, nous voyons, ils vont.

B. *Future:* il aura, il fera, j'irai, ils pourront, je reviendrai, je verrai, il voudra.

C. *Present Participle:* croyant, disant, faisant.

D. *Past Participle:* bu, conduit, couvert, dit, fait, mis, mort, ouvert, pris, reçu, remis.

VIII. IDIOM REVIEW. *Give the English equivalent; check, and pronounce aloud:*

1. Le mariage se fait au palais du roi. 2. La licorne arrive en face de lui. 3. La porte a six pieds de haut. 4. Le géant ne lui fait pas peur. 5. Il vient de prendre la licorne. 6. Les hommes se fâchent contre lui. 7. Il se met à chanter de toutes ses forces. 8. Il n'a pas besoin des hommes. 9. Il monte au-dessus de l'arbre. 10. Faites attention à ce que je dis. 11. Ils marchent tout droit devant eux. 12. Il fait voir aux hommes ce qu'il a pris. 13. On ne peut pas en finir avec lui. 14. Le géant se remet au lit. 15. Tout le monde a peur de lui. 16. Il n'a pas besoin de leur aide. 17. « Par ici, ma bonne femme ! » lui crie-t-il. 18. Il se remet à son travail. 19. Cela ne fait pas peur au petit homme. 20. Il va dire au village ce qu'il vient de faire.

BOOK II

AUCASSIN ET NICOLETTE

I. DERIVATIVES. *The following words are derivatives (i.e. words similar in stem, or form, and meaning) of words used in Books I and II. For each noun in group A, give the corresponding verb; for each verb in B, the corresponding noun; and for each adjective in C, the corresponding noun. Check, and pronounce the word pairs aloud:*

A. la mort, la perte, la venue, la vie, le chanteur, le devoir, la fin, le garde.

B. aimer, se battre, valoir, penser, plaire.

C. courageux, douloureux, doux, profond.

II. COMPOUNDS. *What is the difference in meaning between the compound and the simple verb in the following word pairs (an asterisk denotes a new word):*

1. *emmener — mener
2. *enfermer — fermer
3. *rentrer — entrer
4. *s'endormir — dormir
5. *reconnaître — connaître
6. *élever — se lever

III. OPPOSITES. *Match each word in column A with a word in column B that is contrary or unlike it in meaning; check the matched pairs of opposites and pronounce them aloud:*

A	B	A	B
dame	froid	lentement	palais
enfer	heureux	jeune	s'asseoir
reine	fort	voici	vite
blanc	paradis	se lever	se rappeler
chaud	roi	oublier	voilà
faible	noir	ami	vieux
triste	gentilhomme	hutte	ennemi

5

IV. RELATED WORDS. *In each line there are two words more or less closely associated or related in thought; select the related words, check, and pronounce the word pairs aloud:*

	A	B	C	D
1.	bateau	mère	battre	mer
2.	mai	mais	mois	moins
3.	paysan	payer	chef	pays
4.	écu	fée	fossé	forêt
5.	misère	drap	lune	lumière
6.	soie	fils	père	épée
7.	clef	rocher	falloir	enfermer
8.	baisser	baiser	ciel	étoile
9.	été	fleur	douleur	lèvre

V. CATEGORIES. *From the following words select (1) three names of animals, (2) twelve parts of the body, (3) eight terms having to do with knighthood, (4) the names of seven things to eat or drink, and (5) eight geographical terms; check, and pronounce aloud:*

chevalier	pomme	épaule	village	figure
main	fossé	viande	chien	marmelade
bœuf	chemin	château	corps	épée
terre	lèvre	ville	écu	rue
langue	tournoi	pain	plaine	cheval
vin	tête	mer	yeux	route
cou	casque	bras	eau	cœur
jongleur	dent	fromage	donc	moins

VI. COMPLETIONS. *Select the word in A that adequately completes the sentence in B; check, and pronounce the completed sentence aloud:*

A. hutte   lit   ciel   château   palais   berger
   joue   guérit souffre mange   boit   écoute

B. 1. On —— un homme de sa maladie. 2. On se couche

6

dans un ——. 3. Une reine vit dans un ——. 4. On ——
pour entendre un bruit. 5. Un —— garde des bêtes dans les
champs. 6. On —— du vin et de l'eau. 7. On voit les
étoiles au ——. 8. Un jongleur —— de la viole. 9. On
—— de la viande. 10. On —— une douleur. 11. On fait
une —— de branches. 12. Un comte vit dans un ——.

VII. SPECIAL WORDS. *Can you give the meaning for these
non-cognate "special" words used in telling the story of
Book II?*

autant	berger	casque	chevalier	comte	écu
enfer	épine	fée	jongleur	lèvre	misère
paradis	sire	tournoi	vicomte	viole	souffrir

VIII. PREPOSITIONS AND ADVERBS. *These two grammatical
categories of words are as important as they are difficult to
master. Select the word in A that adequately completes the
sentence in B; check, and pronounce aloud:*

A. autant   comment   demain   jamais   longtemps
   moins   tant   voici   milieu   à travers

B. 1. Il croit que la femme ne peut pas aimer l'homme
—— que l'homme aime la femme. 2. Il voit des étoiles ——
les branches. 3. « —— l'ennemi qui vous a —— fait de
mal, » dit Aucassin. 4. Ils discutent —— ils le feront
mourir. 5. Son cheval le porte jusqu'au —— de l'ennemi.
6. Il est le plus beau chevalier qu'on ait —— vu. 7. Les
fleurs sont —— blanches que ses mains. 8. « Allez —— au
fond de cette forêt que vous voyez là, » dit le chevalier. 9. Il
y a ——, des ennemis de son père ont emmené Nicolette
dans un pays lointain.

IX. IRREGULAR VERB FORMS. *Give the infinitive and the*

7

English equivalent for the following irregular tense forms, first introduced in Book II:

A. *Present Indicative:* ils s'asseyent, il s'assied, il conduit, ils deviennent, vous dites, vous êtes, il faut, je meurs, je puis, je reçois, il vaut.

B. *Present Subjunctive:* j'aille, il ait, vous ayez, il conduise, il dise, il plaise, ils prennent, je puisse, elle sache, il soit, elle vienne.

C. *Future and Past Future:* il aurait, vous aurez, il courrait, ils feront, vous devriez, nous irons, tu pourras, il mourrait, je pourrais, je reverrai, il sera, il tiendra, il vaudrait, vous verrez, je voudrais.

D. *Past Participle:* connu, couvert, cru, été, eu, promis, souffert, su, vécu, vu, ayant (*pres. part.*).

X. IDIOM REVIEW. *Give an acceptable English equivalent for the following sentences; check, and pronounce the French sentences aloud:*

1. Il aimerait mieux perdre tout que de lui donner Nicolette pour femme. 2. Le jeune homme s'appelle Aucassin. 3. Il a beau essayer d'oublier Nicolette. 4. Il s'enferme dans sa chambre pour penser à ce qu'il doit faire. 5. Il ferme la porte à clef pour qu'on ne puisse y entrer. 6. Le palais donne sur un beau jardin. 7. « Prends garde des hommes qui te cherchent, » lui dit-il. 8. Je m'en vais, n'importe où me conduise le chemin. 9. Nicolette sait jouer de la viole. 10. Elle peut voir un bateau au loin. 11. Ils commencent à marcher le long du bord de la mer. 12. Aucassin arrive au beau milieu de la bataille. 13. Il ne veut ni être chevalier, ni prendre les armes. 14. Elle le remercie de ce qu'il lui a dit. 15. Nicolette se tient près de sa fenêtre.

BOOK III

LES CHANDELIERS DE L'ÉVÊQUE

I. DERIVATIVES. *The following new words in Book III are related in form and meaning to words used previously or likewise new to Book III. For each noun in group A, give another noun having the same (or a similar) stem and related in meaning; for each noun in group B, an adjective; for each verb in group C, a noun. Check, and pronounce the related pairs aloud:*

A. année, argenterie, aubergiste, galères, gendarme (= *compound derivative*), journal, lendemain, mari.

B. bonté, droite, un fou, joie, un juste, un misérable, tristesse, vérité, un inconnu.

C. allumer, libérer, nommer, souper, voler, couvrir, changer, passer, suivre, vivre.

II. COMPOUNDS. *The verbal prefix* re– *(also* r–, ré–*) usually adds to the simple verb the sense of* "back," "again," *but sometimes its force is quite lost in the modern use of the compound. What are the English equivalents for the following verbs:*

rallumer	rappeler	recommencer	reconnaître
refermer	relever	remettre	reprendre
retourner	revenir	revoir	rouvrir

III. NUMBERS. *It is quite important to know accurately the value of number words. The answers to the following sums are number words used in Books I–III; can you supply them? Check, and pronounce each sentence aloud:*

Dix et six font —— ?	Dix et deux font —— ?
Dix et quatre font —— ?	Dix et trois font —— ?
Dix et cinq font —— ?	Dix et huit font —— ?

Deux fois dix font —— ?   Quatre fois dix font —— ?
Trois fois dix font —— ?   Cinq fois dix font —— ?
Six fois dix font —— ?   Dix fois dix font —— ?

IV. OPPOSITES. *Match each verb in column A with a verb in column B that is contrary or unlike it in meaning; check the matched pairs and pronounce them aloud:*

A	B	A	B
acheter	éteindre	ôter	baisser
allumer	s'endormir	pousser	pleurer
disparaître	enfermer	soulever	mettre
s'éveiller	cacher	tendre	tirer
libérer	paraître	rire	oublier
montrer	vendre	se souvenir	presser

V. OPPOSITES. *What is the opposite of each word in group A? The answer will be found in group B; check the word pairs and pronounce them aloud:*

B. bien, lointain, déjeuner, fille, matin, dessus, alors, froid, ancien, derrière, frère, désespoir, droite, demain, femme, fermé, innocent, guerre, doux, bon.

A. dessous	sœur	voisin	hier	gauche
mari	paix	dur	chaud	coupable
ouvert	mal	nouveau	devant	souper
mauvais	espoir	garçon	soir	maintenant

VI. OLD WORDS WITH NEW MEANINGS. *In the following sentences the italicized words are old words used in Book III with new meanings. Show that you know the new meanings by a correct translation of the sentences.*

1. Il est déjà dix *heures*. 2. Le *mal* est entré dans son cœur. 3. J'ai vu cet homme quelque *part*. 4. Il marcha vers la *place* de la ville. 5. Il gagnait sa *vie* honnêtement. 6. La porte restait *grande* ouverte. 7. Les gendarmes l'ont *arrêté*. 8. M. Madeleine ne veut pas *chasser* Javert. 9. Le

10

père Fauchelevent *jeta* un cri. 10. « Cela ne me *regarde* pas, » lui dit-il. 11. Javert se *retournait* pour le regarder. 12. Deux heures *sonnèrent* de l'église.

VII. RELATED WORDS. *In each line there are two words more or less closely related or associated in thought; select the related pairs and pronounce them aloud:*

	A	B	C	D
1.	église	paraître	glisser	prêtre
2.	lire	magasin	marcher	marchand
3.	chez	chose	chaise	s'asseoir
4.	loin	lettre	écrire	voix
5.	libre	livre	lèvre	lire
6.	soif	soie	eau	soir
7.	couleur	colère	s'échapper	se fâcher
8.	sonner	soleil	briller	feuille
9.	meilleur	mari	ville	maire
10.	détruire	bord	quelque	feu

VIII. SPECIAL WORDS. *Give the English equivalent for the following special words used in telling the story of Book III:*

âme	argenterie	chandelier	coupable
demeurer	un couvert	échapper	emporter
évêque	galérien	gendarme	jais
maire	monseigneur	misérable	placard
ôter	règlement	veille	voisin

IX. IRREGULAR VERB FORMS. *Give the infinitive and the English equivalent for the following irregular tense forms introduced in Book III:*

A. *Present Subjunctive:* ils aient, ils disparaissent, il fasse, vous soyez, il veuille.

B. *Past Descriptive* (= *imperfect*): il connaissait, il croyait, il disait (*cf. Bk. II*), il écrivait, il faisait, il finissait, il paraissait, il prenait.

11

C. *Past Participle:* assis, commis, disparu, dû, éteint, offert, pu, reconnu.

X. PAST ABSOLUTE. *As the usual past tense in formal or literary narrative, the past absolute (= past definite) is second only to the present indicative in importance. Complete the sentences below by selecting the proper verb form in parentheses, give the infinitive of the verb, and pronounce the sentence aloud:*

1. Il (écrivit, éteignit) la lumière. 2. Javert (vint, devint) chez M. Madeleine. 3. On ne (put, fut) le retrouver. 4. La voiture (remit, prit) la route d'Arras. 5. Il (sut, s'assit) sur un banc de pierre. 6. Il (remit, reprit) le pied sur la pièce d'argent. 7. Il (eut, crut) entendre une voix. 8. Il (fut, fit) quelques pas vers lui.

XI. IDIOM REVIEW. *Give an English equivalent for the following sentences; check, and pronounce the French sentences aloud:*

1. Jean Valjean s'approcha du lit. 2. Le premier des enfants avait huit ans. 3. L'inconnu avait faim et soif. 4. Ils traversèrent la chambre à coucher de l'évêque. 5. Maintenant qu'il voit le vrai Valjean, il ne peut croire autre chose. 6. Tout à coup, il éteignit la lumière et se laissa tomber sur une chaise. 7. Il faisait chaud dans la salle du tribunal. 8. L'évêque faisait une promenade dans son jardin. 9. Combien de kilomètres avez-vous fait aujourd'hui? 10. Mais que faire quand on n'a pas de travail? 11. Il a laissé la fenêtre grande ouverte. 12. Il n'eut pas le temps de jeter un cri. 13. « Restez ici jusqu'à ce que je revienne, » dit-il. 14. Les trois hommes se sont mis à table. 15. Il n'a jamais reçu de leurs nouvelles. 16. La voiture pesait sur lui de plus en plus. 17. Il se perdit dans la nuit. 18. Il se peut que M. Madeleine soit un ancien galérien. 19. Il vaut mieux tout perdre que de laisser mourir un innocent. 20. Javert se souvient d'avoir vu M. Madeleine quelque part.

12

BOOK IV
LES PAUVRES GENS

I. DERIVATIVES. *The following words, introduced in Book IV for the first time, are related in form and meaning to words used previously in the Series. For each noun in group A, give a verb belonging to the same word-family; for each verb in group B, a noun. Check, and pronounce the word pairs aloud:*

A. un amoureux, bâtiment, charge, commencement, départ, fumée, moulin, ouverture, pêcheur, regard, respect, repos, rêve, sentiment, sourire, surprise, tache, vue.

B. espérer, jouer, marier, aimer.

II. OPPOSITES. *Find in group B a word that is contrary to or unlike each word in group A; check, and pronounce the word pairs aloud:*

B. matin, ville, été, difficile, heureux, plein, haut, mort, éveillé, minuit, vallée, malheur.

A. bonheur, facile, midi, campagne, bas, hiver, malheureux, colline, après-midi, endormi, né, vide.

III. RELATED WORDS. *In each line there are two words more or less closely related or associated in thought; select the related pairs, check, and pronounce the word pairs aloud:*

	A	B	C	D
1.	coquille	échelle	huître	mouiller
2.	père	vague n.	espoir	mer
3.	goutte	paille	serrure	clef
4.	poisson	mourir	peser	pêcheur
5.	blé	farine	fleur	plâtre
6.	herbe	cri	route	poussière
7.	couper	lait	couteau	sou
8.	voyageur	cheminée	doigt	feu
9.	gant	moulin	peur	main
10.	bouche	sable	vapeur	fumée

IV. CATEGORIES. *From the following words select (1) ten words pertaining to farm life, exclusive of (2) the names of five animals, (3) ten words pertaining to the sea, and (4) ten words that are used in building and furnishing a house:*

chat	porte	poisson	grange	bateau
eel	b œuf	vigne	plâtre	cheminée
fenêtre	vague	cheval	blé	fermier
bois	mer	voiture	mur	chien
paille	herbe	placard	eau	âne
quai	bâtir	pousser	champ	sable
chaise	pêcher	ferme	seine	lit

V. OLD WORDS WITH NEW MEANINGS. *In the following sentences the italicized words are old words used in Book IV with new meanings. Show that you know the new meanings by a correct translation of the sentences.*

1. La mère chantait une vieille chanson pour *endormir* son enfant. 2. Ils mangeaient toujours de la soupe et du *bœuf*. 3. On boit un dernier *coup* et parle du violoneux. 4. Le *temps* était mauvais, une pluie fine tombait. 5. Des vagabonds lui avaient *appris* cet *air*. 6. Ils *tirent fort* sur les cordes de la seine.

VI. ADVERBS. *Several new adverbs are introduced in Book IV; complete the sentences in B by supplying the proper adverb in column A. Check, and pronounce the sentences aloud:*

A	B
presque	1. Il sortit, mais —— il revint avec son fils.
dehors	2. La Misère se tenait —— sur une dune.
bientôt	3. Tous —— ils montent la colline.
ensemble	4. Son mari était —— dans le vent de la mer.
quelquefois	5. —— nous faisions une promenade en ville.
debout	6. On s'attendait —— à le voir faire un signe de son mouchoir.

VII. Special Words. *Give the English equivalent for the following special words used in telling the story of Book IV:*

âne	apôtre	avoine	barbe	blé
coquille	farine	fifre	gant	gendre
grange	huître	lutter	meule	meunier
moulin	moudre	paille	pêche	pêcher
pêcheur	plâtre	râcler	serrure	une vague
violoneux	violon	maigre	remède	enterrement

VIII. Conjunctions. *The compound conjunctions listed in column A have been used in Books I–IV. Complete the sentences in B by supplying the suitable conjunction; check, and pronounce the completed sentence aloud:*

A	B
bien que	1. Il faut être prudent —— cet homme ne les reconnaisse pas.
parce que	
pendant que	2. Mon père attendait en silence —— on travaillait.
pour que	
jusqu'à ce que	3. Je savais l'histoire de sa vie, —— on ne parlât de cela qu'à voix basse.
	4. Elle eut peur —— elle était seule.
	5. —— il fût fâché, il ne toucha pas le vagabond.
	6. Il joue de son violon —— on le renvoie.

IX. Irregular Verb Forms. *Give the infinitive and the English equivalent for the following irregular tense forms introduced in Book IV:*

A. *Past Absolute:* il apparut, ils eurent, ils firent, ils furent, ils mirent, il reçut, il revint, il vécut, je vis, ils virent.

B. buvant, sachant, né, surpris, je courrai, il viendra, il fût, ils boivent.

15

X. Idioms with AVOIR and FAIRE.

Idiomatic constructions with **avoir** *and* **faire** *are very common; the following usages occur in Book IV (cf. end vocabulary) and may be checked through the vocabulary entries for these two verbs. Give a correct English equivalent for each sentence, with particular attention to the italicized portion:*

1. Le fermier *ne fait pas de mal* au vagabond. 2. Il *avait honte* parce qu'on avait surpris son secret. 3. Il *a fait bien chaud* pendant tout l'été. 4. La Misère *avait l'air* de ne pas comprendre. 5. Il *faisait quinze kilomètres* pour aller la voir. 6. *Il y a vingt ans*, ces collines étaient couvertes de moulins à vent. 7. Un bruit dans le jardin *lui fit peur*. 8. Il *avait besoin d'argent* pour payer l'enterrement. 9. L'enfant *n'y fait pas attention;* elle pense à sa maman. 10. En hiver, *il fait froid* dans ce pays désert. 11. Mon père lui *fit* beaucoup de questions. 12. Une de mes sœurs *avait vingt-huit ans.* 13. Chaque dimanche on *faisait une promenade* sur le quai. 14. Elle *avait peur* du vent, de la nuit, d'être seule. 15. *Qu'est-ce que ça vous fait?*

XI. Idiom Review.

Give a correct English equivalent for the following sentences; check, and pronounce the French sentences aloud:

1. Il ne s'agit pas de cela. 2. Son fils est devenu amoureux de Vivette. 3. La chambre d'en bas avait le même air de misère. 4. Des hommes mettaient nos bagages à bord. 5. Maître Cornille riait et pleurait à la fois. 6. A partir de demain, je fermerai la porte à clef. 7. On ne sourit pas quand un garçon pauvre mange son argent. 8. Tant pis si la Louise est malade! 9. En place, messieurs, en place! il faut travailler. 10. On achetait des provisions à bas prix. 11. Maître Cornille ne voulait pas se servir de la vapeur. 12. Il faut que le cœur des hommes ne se ferme pas tout à fait. 13. Quelquefois, il est difficile de se tenir debout.

BOOK V

L'ATTAQUE DU MOULIN

I. COGNATE DERIVATIVES. *The following cognates are all derivatives of words used in Books I–V. For group A, give the French word having the same stem, but opposite in meaning; for group B, the verb belonging to the family of the noun; for group C, the adjective corresponding to the noun. When each item has been paired thus, note the slight differences in spelling between the French word and the English cognate, and pronounce the entire list.*

A. désordre, impatient, involontaire, irrégulier.

B. attaque, détachement, protection, décision, combattant.

C. douzaine, charme, gaieté, terreur, anxiété.

II. NON-COGNATE DERIVATIVES. *The following words are derivatives of words already used in the Series. For each noun in group A, give the corresponding verb; for each adjective in group B, the corresponding verb; for each noun in group C, an adjective derivative; for each verb in group D, a noun having a similar stem; for each word in group E, a noun belonging to the same word-family. Check, and pronounce aloud:*

A. tournant, arrivée, invité, choix, entrée, son, respiration, appel, courant, conseil, éclat, rendez-vous, blessure, lutte.

B. brillant, aimable, fixe.

C. fraîcheur, chaleur, mort, cinquantaine, faiblesse, froid.

17

D. fusiller, soigner, remplacer, recharger, s'étendre.

E. silencieux, plancher, adieu, journée, haut, tranquille. mètre.

III. OLD WORDS WITH NEW MEANINGS. *The following words used in Books I–IV, occur in Book V with new meanings. They bear an asterisk in the end vocabulary. Give the old and new meanings for the verbs in group A and the nouns in group B. Check, and pronounce aloud:*

A. conduire, tirer, gagner, prier.

B. rang, garde, garçon, bord, affaire, coup, place, dommage.

IV. SPECIAL WORDS. *The words marked with an asterisk in A and B below are special non-cognate words, outside of the basic vocabulary, needed to tell the story of Book V. Rearrange the words in group A so as to form pairs related in meaning. Give the meaning of all words in group B, and of the special words in group A. Check, and pronounce aloud:*

A. *peuplier, canon, *noce, plante, *matelas, paraître, *sourd, lit, *volet, chien, *sembler, mariage, *aboyer, fenêtre, *lierre, *buisson, *haie, son, *boulet, arbre.

B. *durer, *mentir, *dot, *fiancer.

V. IRREGULAR VERB FORMS. *The following irregular verb forms occur for the first time in Book V. Give the infinitive and the meaning of each tense form; check and pronounce aloud:*

A. il aperçoit, je consens, il plaint, il retient, il suit.

B. il eût, elle mît, il pût, il sût.

C. compris, joint, paru, satisfait, reparu.

D. il faudrait, elle ferait, ils viendraient, il saura, nous reviendrons, il deviendra, il mourra.

E. il retint, il promit, ils parurent, il joignit, il dut, ils coururent, il but, ils durent; il plaignait.

18

VI. Special Usages of **devoir**. *Translate the following sentences into acceptable English, noting carefully the special values of the forms of* **devoir**. *The starred sentences occur in the text of Book V. Check, and pronounce the French sentences:*

1. *Il aurait dû travailler. 2. *Il doit y avoir des trous que vous connaissez. 3. Aurait-elle dû rester dans sa chambre? 4. *Françoise avait dû s'asseoir sur un banc de pierre. 5. *Il doit y avoir des chemins dans la forêt. 6. *Il dut apercevoir une tête de Prussien. 7. Françoise avait dû lui donner un couteau. 8. *Les misérables devraient être ici. 9. Elle devrait revenir dans deux heures. 10. *Dominique avait dû monter dans un arbre. 11. *La sentinelle avait dû se coucher contre la porte. 12. Les Français devaient arriver avant six heures.

VII. Basic Non-cognate Words. *In the following exercise, non-cognate words introduced for the first time in Book V are starred. Rearrange the adjectives in group A to form pairs of words opposite in meaning; for each noun in group B, select a suitable qualifying adjective, forming noun and adjective expressions; of the nouns in group C, select seven that pertain to a house, two to personal apparel, three to war, three that refer to time, and three that are the names of substances; rearrange the verbs in D to form pairs of words similar or related in thought; give the English equivalents of the sentences in group E. Check and pronounce:*

A. *joli, chaud, *lâche, brave, *large, étroit, *frais, *pire, *laid, meilleur.

B. *un souffle, aiguë, un homme, *l'encre, *prochain, *léger, *un buisson, *un rideau, *paresseux, *août, *vert, *une faux, *soudain, *un coup de tonnerre, *épais, bleu.

C. *cuivre, *quart, *poudre, *poitrine, *midi, *armoire, *oreille, *fusil, *étage, *peau, *montre, *escalier,

19

*juillet, *cuisine, *manteau, *fer, *toit, *verre, *planche, *balle, *coin.

D. *empêcher, pleurer, *embrasser, saisir, *causer, arrêter, *se plaindre, défendre, *serrer, parler, *protéger, baiser.

E. 1. Cela *ajoutait à la terreur. 2. Elle *joignit les mains. 3. *Onze heures sonnèrent à l'église de Rocreuse. 4. Ils avaient mangé des *noix ensemble. 5. Le vieux demanda du *tabac. 6. Elle ment, je vous le *jure. 7. Est-ce que votre père me *conseille de le faire? 8. Elle n'entendait plus le *moindre bruit. 9. Elle respirait avec *peine. 10. Il y avait un *pont à deux kilomètres du moulin.

VIII. IDIOMATIC EXPRESSIONS. *Each sentence contains an idiomatic expression introduced for the first time in Book V. Give an adequate English equivalent for the sentence, check, and pronounce the French sentence:*

1. Le moulin se trouvait à moitié dans la Morelle. 2. Dominique demeurait de l'autre côté de la rivière. 3. Il faisait semblant de dormir. 4. Le père Merlier ne dit pas un seul mot au sujet du mariage. 5. Les femmes se jetaient à genoux. 6. Le capitaine avait souri de nouveau. 7. De bas en haut, le moulin se trouvait occupé. 8. « Cinq heures, » dit le capitaine. « Tenez bon. » 9. La fusillade manqua d'emporter le moulin. 10. Ils vont nous prendre par derrière. 11. Ils étaient partis, sans qu'il le sût. 12. « En voilà assez ! » cria l'officier. 13. Elle se trompa trois fois. 14. A six heures précises, ils ont quitté le moulin. 15. Enfin elle est arrivée à la hauteur de sa chambre.

Bond: *Graded French Readers* Name _____
First Series: Books I–V Date _____
Course_____
Score _____% _____

GENERAL VOCABULARY TEST I

All words used in this test are taken from the basic vocabulary
of the *First Series;* no "special" words are included. Select
that one of the three numbered words in parentheses which most
suitably completes the sentence, and write its number in the blank
space provided in the right hand margin. At the completion of
the test, check against the Key on page 28, entering the raw score
and the correct per cent in the space above. Contextual meanings
are called for in every case. There are 75 credits possible.

Check here

1. En hiver, il fait (1–chaud, 2–dur, 3–froid). ____
2. Le numéro quinze vient (1–après, 2–entre,
   3–avant) quatorze et seize. ____
3. Quelquefois, le soir, le soleil est (1–raide, 2–léger,
   3–rouge). ____
4. Elle veut (1–empêcher, 2–détruire, 3–ajouter) son
   fils de quitter le village. ____
5. Le frère de votre mère est votre (1–ombre, 2–oncle,
   3–sœur). ____
6. Elle parlait d'une voix (1–douze, 2–sale, 3–douce). ____
7. (1–Puis, 2–Derrière, 3–Depuis) ce jour, il restait
   seul. ____
8. On garde son argent dans (1–un banc, 2–sa poche,
   3–un fou). ____

9. Il faut travailler dur pour (1–réussir, 2–paraître, 3–remuer). ----

10. Elle vend les pommes deux (1–coins, 2–cents, 3–sous) la pièce. ----

11. On se sert d'un couteau pour (1–discuter, 2–saisir, 3–couper) le pain. ----

12. Quand on est (1–jaune, 2–jeune, 3–enfin), on est joyeux. ----

13. On dort entre des (1–draps, 2–habits, 3–ouvertures). ----

14. Il (1–tira, 2–vola, 3–essaya) de trouver la route. ----

15. On voit avec les (1–voix, 2–yeux, 3–oreilles). ----

16. Souvent, au café, on (1–raconte, 2–rencontre, 3–remet) des amis. ----

17. Le soir, il faut (1–allumer, 2–lutter, 3–oublier) la lampe. ----

18. Le pauvre homme n'a pas de (1–colline, 2–trous, 3–bras). ----

19. Il a (1–couvert, 2–ouvert, 3–offert) sa bouche pour parler. ----

20. En été le temps est (1–pire, 2–meilleur, 3–plus cher) qu'en hiver. ----

21. Mon fils a (1–appris, 2–surpris, 3–repris) la valeur de l'argent. ----

22. Les enfants aiment beaucoup (1–les blessures, 2–le travail, 3–les fêtes). ----

23. Il a cassé la jambe en tombant dans (1–un trou, 2–la vue, 3–une goutte). ----

24. Le soleil (1–se bat, 2–se couche, 3–s'assied) le soir. ----

25. On peut ouvrir (1–un pont, 2–un port, 3–une porte) avec une clef. ----

26. On commence à (1–compter, 2–battre, 3–sembler) quand on est jeune. ----

22

27. Quand on veut savoir l'heure, on regarde (1–la fois, 2–le temps, 3–une montre). ----

28. Le fermier (1–mit, 2–lit, 3–put) la lampe sur la table. ----

29. Je ne peux pas écrire parce que je n'ai pas (1–de peine, 2–d'encre, 3–de voix). ----

30. Il est difficile de (1–gâter, 2–traîner, 3–plaire) à tout le monde. ----

31. Le paysan travaillait dans (1–une faim, 2–un champ, 3–une dent). ----

32. Il était triste ce matin, mais (1–maintenant, 2–alors, 3–donc) il est heureux. ----

33. Douze soldats sortirent (1–de l'armoire, 2–de la faute, 3–du bâtiment). ----

34. L'orage est passé; on n'entend plus (1–la lumière, 2–le tonnerre, 3–l'étoile). ----

35. Dans la guerre on cherche à (1–guérir, 2–tuer, 3 lutter) ses ennemis. ----

36. Toutes les bêtes ont des (1–corps, 2–bras, 3–ailes). ----

37. Un cheval est (1–moins, 2–aussi, 3–plus) grand qu'un chien. ----

38. On mange (1–des raisons, 2–des bruits, 3–du bœuf). ----

39. On (1–rêve, 2–fume, 3–soigne) quelquefois en dormant. ----

40. On doit faire toujours son (1–doigt, 2–devoir, 3–droit). ----

41. Peut-on (1–mener, 2–secouer, 3–manquer) un cheval sauvage ? ----

42. L'homme courait parce qu'il était (1–court, 2–laid, 3–pressé). ----

43. En été, le temps est (1–toujours, 2–souvent, 3–partout) très chaud. ----

44. Si on ne mange rien, on devient (1–maigre, 2–prêt, 3–nu). ----

45. L'herbe (1–croit, 2–serre, 3–pousse) le mieux au soleil.   ----
46. Quand on est malade, on devient (1–sec, 2–mouillé, 3–faible).   ----
47. (1–Comment, 2–Combien, 3–Pourquoi) de fois a-t-il chanté ?   ----
48. La langue est une partie de la (1–bouche, 2–jambe, 3–poitrine).   ----
49. Quand on entre dans une église, il faut (1–porter, 2–ôter, 3–importer) son chapeau.   ----
50. Les chats aiment à dormir dans (1–une chaise, 2–un château, 3–un soin).   ----
51. Il nous a (1–causé, 2–parlé, 3–raconté) l'histoire de sa vie.   ----
52. On porte un (1–rideau, 2–chapeau, 3–manteau) sur la tête.   ----
53. (1–Hier, 2–Demain, 3–Bientôt) j'ai fait une promenade.   ----
54. Il a fait cela sans le (1–valoir, 2–falloir, 3–vouloir).   ----
55. Quand on veut acheter un habit, on va (1–à une église, 2–chez un tailleur, 3–chez un habitant).   ----
56. On aime à marcher (1–sous, 2–sur, 3–au-dessus) des arbres.   ----
57. On boit (1–un cou, 2–un buisson, 3–un verre) à notre santé.   ----
58. Elle sourit (1–presque, 2–parce que, 3–pour que) je suis une bonne fille.   ----
59. Un soldat porte (1–un chien, 2–une faux, 3–un fusil).   ----
60. Dehors, on (1–attendit, 2–entendit, 3–sentit) un cri terrible.   ----
61. Derrière la maison il y a (1–une cour, 2–un cœur, 3–un cours).   ----

62. Une échelle de (1–verre, 2–soie, 3–bois) montait de la roue au toit.

63. Elle ne peut pas (1–lire, 2–glisser, 3–rire) parce qu'elle n'a pas de livre.

64. Décembre est le (1–deuxième, 2–dernier, 3–premier) mois de l'année.

65. Il est (1–facile, 2–fidèle, 3–difficile) d'être toujours juste.

66. Les arbres sont couverts de (1–paresseux, 2–livres, 3–feuilles).

67. Quand on vous fait une question, il faut (1–attendre, 2–répondre, 3–réparer).

68. Quand il n'y a rien dans ma poche, elle est (1–vide, 2–vive, 3–pleine).

69. Le violoneux (1–jura, 2–joignit, 3–joua) un air triste.

70. Les (1–mouchoirs, 2–oiseaux, 3–chevaux) entrent par la fenêtre.

71. La lune (1–brûlait, 2–brillait, 3–glissait) dans un ciel clair.

72. Je vais mettre un peu de (1–sel, 2–salle, 3–sable) sur la viande.

73. Mon oncle (1–payait, 2–ramenait, 3–demeurait) à la campagne.

74. Il y a (1–un chemin, 2–de la fumée, 3–des genoux) dans la cuisine.

75. La pluie (1–pleurait, 2–frottait, 3–tombait) par la cheminée.

INITIAL WORD STOCK

This is the list of words to which reference is made in the books of the Series as the "initial word-stock." It comprises the 69 Henmon items in *Part I* of Vander Beke's *French Word Book* (Macmillan), plus 25 variables added from *Part II* to complete the categories. The latter bear an asterisk. The list, with its inflected forms, furnishes approximately fifty per cent of running discourse in French. Its importance, therefore, cannot be underrated. Do you know the English equivalents of its various items?

Articles

le, la, les
un, une

Adjectives

autre
bon
ce, cet, cette, ces
grand
leur, leurs
mon, ma, mes
notre, nos
petit
*quel,   quelle,
    quels, quelles
son, sa, ses

*ton, ta, tes
tout, toute, tous
    toutes
votre, vos

Adverbs

bien
*ici
*là
ne . . . pas
*ne . . . que
où
pas
plus
*rien
si
y

Conjunctions

comme
et
mais
ou
que
si

Nouns

enfant
femme
homme
jour

Numerals

un, une

26

deux
*trois
*quatre
*cinq
*six
*sept
*huit
*neuf
*dix

Partitive

de, de la, de l',
des, du

Prepositions

à, au, aux
avec
dans
de, du, des
en
par
pour
sans
sur

Pronouns

*ça, cela
*ceci
*dont
elle, elles
en
*eux
il, ils
je
le, la, l', les
*lequel, lesquels,
laquelle, les-
quelles
lui
leur (*pers. pron.*)
leur, leurs (*poss.
pron.*)
me
*mien, mienne,
miens, mien-
nes
moi
*nôtre, nôtres
nous
on
où

que (*interroga-
tive*)
que (*relative*)
qui (*interroga-
tive*)
qui (*relative*)
quoi
se
*sien, sienne,
siens, siennes
*soi
*tien, tienne,
tiens, tiennes
te
toi
tu
*vôtre, vôtres
vous
y

Verbs

aller   pouvoir
avoir   prendre
dire   savoir
donner   venir
être   voir
faire   vouloir

KEY

1. (3)	16. (2)	31. (2)	46. (3)	61. (1)
2. (2)	17. (1)	32. (1)	47. (2)	62. (3)
3. (3)	18. (3)	33. (3)	48. (1)	63. (1)
4. (1)	19. (2)	34. (2)	49. (2)	64. (2)
5. (2)	20. (2)	35. (2)	50. (1)	65. (3)
6. (3)	21. (1)	36. (1)	51. (3)	66. (3)
7. (3)	22. (3)	37. (3)	52. (2)	67. (2)
8. (2)	23. (1)	38. (3)	53. (1)	68. (1)
9. (1)	24. (2)	39. (1)	54. (3)	69. (3)
10. (3)	25. (3)	40. (2)	55. (2)	70. (2)
11. (3)	26. (1)	41. (1)	56. (1)	71. (2)
12. (2)	27. (3)	42. (3)	57. (3)	72. (1)
13. (1)	28. (1)	43. (2)	58. (2)	73. (3)
14. (3)	29. (2)	44. (1)	59. (3)	74. (2)
15. (2)	30. (3)	45. (3)	60. (2)	75. (3)

VOCABULARY

NOTE: To facilitate very early reading, this vocabulary includes, in addition to new word stock, (a) all irregular verb forms offering difficulty, and (b) all items of the initial word stock. The latter are marked with asterisks. Excluded only are the identical and nearly identical cognates that bear asterisks in the text. Idioms are listed under the key words as given in the separate idiom lists.

The total recognition vocabulary, exclusive of irregular verb forms, is 1318 words, distributed as follows: (a) 97 items of initial word stock, (b) 640 non cognate words of new stock, (c) 245 derivatives and compounds of known words, (d) 336 dependable cognates. Of these 1318 words, all except 210 may be considered as basic for general reading. In estimating and controlling vocabulary, a *new value* for a known word has been reckoned separately as a *new word*, on the theory that it involved new effort in learning.

ABBREVIATIONS: *adj.* adjective, *adv.* adverb, *art.* article, *conj.* conjunction, *f.* feminine, *fut.* future, *impv.* imperative, *inter.* interrogative, *m.* masculine, *n.* noun, *p.p.* past participle, *p. abs.* past absolute (= past definite), *p. desc.* past descriptive (= imperfect), *p. fut.* past future (= conditional), *p. subj.* past subjunctive, *pl.* plural, *prep.* preposition, *pres. ind.* present indicative, *pres. part.* present participle, *pres. subj.* present subjunctive, *pron.* pronoun, *rel.* relative, *v.* verb.

A

*à to, at, on, with, in, into, by, of, for, from

aboyer bark

abri *m.* shelter, protection

abricot *m.* apricot

acheter (à) buy (from)

adieu *m.* good-bye

affaire *f.* affair; *pl.* business, dealings

âgé *adj.* aged, old; âgé de cent ans a hundred years old

agir act; s'agir de be in question, concern, be a matter of

agréable pleasant, agreeable

ai, as, a *pres. ind.* avoir

aigu, –ë sharp, keen, piercing

aile *f.* wing; sail (*windmill*)

aille *pres. subj.* aller

aimable pleasant, likable

aimer to love, like; aimer mieux prefer

ainsi thus, so, consequently

air *m.* air; look, appearance; tune

ait, aient *pres. subj.* avoir

1

ajouter add
allemand *adj. and n.* German
*aller go; aller au-devant de go to meet; aller chercher fetch, go for (get); allons ! come now ! s'en aller go away, leave
allumer light
alors then, at that time
âme *f.* soul
amener bring
Amérique *f.* America
ami *m.,* amie *f.* friend
amour *m.* love
amoureu-x, -se *adj.* in love; *n. m. and f.* lover; devenir amoureux (de) fall in love (with)
an *m.* year
ancien, -ne former; old, ancient
âne *m.* donkey
Angleterre *f.* England
année *f.* year
anxieu-x, -se uneasy, restless, anxious
août *m.* August
apercevoir (s'— de) notice, see
aperçoit *pres. ind.* apercevoir
apôtre *m.* apostle
apparaître appear
appartenir belong
appartient *pres. ind.* appartenir
apparut *p. abs.* apparaître
appel *m.* call
appeler call; s'appeler be named
apporter bring
apprendre learn; teach
appris *p.p.* apprendre
approcher bring near, approach; s'approcher (de) approach

après after, afterward
après-midi *m.* afternoon
arbre *m.* tree
argent *m.* money, silver
argenterie *f.* silver-plate, silverware
arme *f.* arm, weapon
armée *f.* army
armoire *f.* wardrobe
arrêter arrest, stop; s'arrêter stop, stand still
arrivée *f.* coming, arrival, entry
arriver arrive; happen
asseoir (s') sit (down)
asseyent *pres. ind.* asseoir
assez enough; rather, quite; en voilà assez ! enough ! that will do !
assied, -s *pres. ind.* asseoir
assieds-toi *impv.* s'asseoir
assis *p.p.* asseoir; *adj.* seated, sitting
assit *p. abs.* asseoir
attacher attach, tie, bind
attendre wait (for); expect; s'attendre à expect, await
attirer attract, draw
au = à + le
auberge *f.* inn
aubergiste *m.* innkeeper
aujourd'hui today
aur-ai, -as, -a, -ons, -ez, -ont *fut* avoir
aur-ais, -ait, -aient *p. fut.* avoir
aussi also, too; as; and so (*beginning a sentence*)
aussitôt at once, immediately; aussitôt que as soon as
autant as much (many); autant que as much (many) as
autour round, around; autour de round
*autre other, another; je n'ai

rien d'autre I have nothing else

***aux** = à + **les**

avant before; **avant de** before; **avant que** before; **en avant** forward

***avec** with

avoine *f.* oats

avoir** have; get, possess; **avoir l'air (de)** look, appear, have the appearance of; **avait huit ans** was eight years old; **avoir beau** + *inf.* be useless to + *inf.*, to + *inf.* in vain; **avoir besoin (de)** need; **avoir faim** be hungry; **avoir froid** be cold; **avoir honte** be ashamed; **avoir quatre pieds de haut** be four feet high; **avoir peur** be afraid; **avoir grand'peur** be in great fear; **avoir raison** be right; **avoir soif** be thirsty; **il y a (avait,** *etc.)** there is *or* are (was, were); **il y a** ago; **il y a trois jours** three days ago

ayant *pres. part.* **avoir**

ayez *pres. subj. and impv.* **avoir**

B

baiser kiss

baiser *m.* kiss

baisser lower, bend down, bow

balancer balance, sway, flutter, poise

balle *f.* bullet (*see* **boulet**)

banc *m.* bench

barbe *f.* beard

barre *f.* bar; rung

bas (*f.* **basse**) *adj.* low; *n. m.* bottom; *adv.* low;

(d')en bas below, downstairs; **là-bas** yonder, over there, down there; **de bas en haut** from top to bottom

bataille *f.* battle

bateau *m.* boat, ship

bâtiment *m.* building, structure

bâtir build

bâton *m.* stick, club, stretcher (*of a net*)

battre beat, strike; **se battre** fight, struggle

beau, bel, belle fine, beautiful, handsome

beaucoup much, many; a good deal, greatly

bel, belle *see* **beau**

belge *adj. and n.* Belgian

Belgique *f.* Belgium

berger *m.* shepherd

besoin *m.* need

bête *f.* beast, animal

***bien** *adv.* quite, very, indeed, well, surely, thoroughly, very willingly; **eh bien!** very well! **bien que** though, although

bien *m.* good

bientôt soon

bienvenu *m.* welcome; **soyez le bienvenu!** welcome!

blanc, blanche white

blé *m.* wheat, grain

blesser wound, hurt

blessure *f.* wound, injury

bleu blue

bœuf *m.* ox; beef

boire drink

bois *impv.* **boire**

bois *m.* wood; *pl.* woods

boi-s, -t, -vent *pres. ind.* **boire**

***bon, bonne** good, kind; **à quoi bon?** what is the good (of)? of what use?

bonheur *m.* happiness, good luck

bonjour *m.* good morning, how do you do

bonté *f.* kindness, goodness, good will

bord *m.* edge; shore, bank; **à bord** on board (*ship*)

bouche *f.* mouth

bouger stir, move

boulet *m.* cannon ball

bout *m.* end, tip; hem; **au bout de** after

bras *m.* arm

brave worthy, good; brave

brillant shining, glistening, sparkling

briller shine, gleam, glisten, sparkle

bruit *m.* noise, sound; rumor

brûler burn

bu *p.p.* boire

buisson *m.* bush

bureau *m.* bureau, department, office

but *p. abs.* boire

buv-ais, -ait, -aient *p. desc.* boire

buvant *pres. part.* boire

C

*ça = cela

çà *adv.* here; **çà et là** here and there; **ah çà!** I say! here!

cacher hide

campagne *f.* country

casque *m.* helmet

casser break

causer talk, chat

*ce *pron.* it, that, he, she

*ce, cet, cette *adj.* this, that; **ces** *pl.* these, those

'ceci this

ceinture *f.* belt, sash

*cela that

*celui, celle he, she, this (one), that (one), the one; **celui-ci** the latter

cent hundred

cependant however, yet, still, nevertheless

*ceux = *pl.* celui

chaise *f.* chair

chaleur *f.* heat, warmth

chambre *f.* room, chamber; **chambre à coucher** bedroom

champ *m.* field

chandelier *m.* candlestick

changement *m.* change

chanson *f.* song

chanter sing

chanteur *m.* singer

chapeau *m.* hat

chaque each, every

charge *m.* load, burden

charger load, burden

charité *f.* charity; **faire la charité** give alms, be charitable

charmant charming

chasser drive away (out, off); discharge, dismiss; hunt

chat *m.* cat

château *m.* castle, château

chaud *adj.* warm; *n. m.* heat, warmth

chef *m.* chief, leader

chemin *m.* path, way; **passez votre chemin!** go on your way! **grand chemin** highway

cheminée *f.* chimney, fireplace

cher, chère dear

chercher look for, seek, search; fetch; try; *see* aller

cheval (*pl.* **chevaux**) *m.* horse; **à cheval** on horseback, mounted

4

chevalier *m.* knight

cheveu, –x *m.* hair

chez *prep.* at, in, into *or* to the house *or* home of; **chez vous** at home, in your home *or* house

chien *m.* dog; **chien de garde** watchdog

choisir choose

choix *m.* choice

chose *f.* thing; **autre chose** anything else, otherwise

–ci: *distinguishes between "this" and "that"* (-là)

ciel (*pl.* cieux) *m.* sky, Heaven

*cinq five

cinquantaine *f.* fifty, about fifty

cinquante fifty

clef *f.* key; **fermer à clef** close and lock

cœur *m.* heart

coin *m.* corner

colère *f.* anger; **être en colère** be angry

colline *f.* hill

combien (de) how much, how many

*comme as, like, how; **comme pour** as though to

commencement *m.* beginning

commencer begin, commence

comment how; **comment!** what!

commettre commit

commis *p.p.* **commettre**

compagnie *f.* company

comprendre understand

compris *p.p.* **comprendre**

comprit *p. abs.* **comprendre**

compter count

comte *m.* Count

conduire lead, take, conduct; drive (*a vehicle*)

conduise *pres. subj.* **conduire**

conduisit *p. abs.* **conduire**

conduit *pres. ind. and p.p.* **conduire**

connaiss–ait, –aient *p. desc.* **connaître**

connaître know; **connaître comme ma poche** know all about (thoroughly)

connu *p.p.* **connaître**

conseil *m.* advice, counsel

conseiller advise

consens *pres. ind.* **consentir**

consentir agree, consent

content satisfied, content

contre against

coquille *f.* shell

corde *f.* rope, cord

corne *f.* horn (*of animal*)

corps *m.* body

côté *m.* side, direction; **de l'autre (chaque) côté** in the other (each) direction, on the other (each) side

cou *m.* neck

coucher (se) lie down, go to bed; set (*sun, moon*)

coucou *m.* cuckoo

couler flow, drip, run (*of liquids*)

couleur *f.* color

coup *m.* blow, slap, kick; stroke, knock; shot; clap (*thunder*); draught, drink; **coup d'œil** look, glance, survey; **tout à coup** suddenly

coupable guilty

couper cut (off)

cour *f.* yard, court

courageu–x, –se brave, courageous

courant *m.* current

courir run; sweep along; sail; **courir sur** rush upon, attack

courrai *fut.* **courir**

5

courrais *p. fut.* **courir**
cours *m.* course, stream
cour–ut, –urent *p. abs.* **courir**
couteau *m.* knife
couvert *m.* cover (*set of knife, fork, and spoon*); **mettez un couvert de plus** set another place
couvert *p.p.* **couvrir**
couvrir cover; drown (out)
crier cry, exclaim
croire believe, think
croix *f.* cross
croy–ais, –ait *p. desc.* **croire**
croyant *pres. part.* **croire**
croyons *pres. ind.* **croire**
cru *p.p.* **croire**
crut *p. abs.* **croire**
cuisine *f.* kitchen
cuivre *m.* copper, brass

D

dame *f.* lady
***dans** in, within, into
***de** of, from, by, with, in, to; than; some, any; ***de l', *de la, *des, *du** of (from) the, some, any
debout upright, standing; **debout!** get up! **se tenir debout** stand up
débris *m.* remnant, wreckage
déchirer tear
décider decide; persuade, convince
dedans within, inside
dégât *m.* damage, injury
dehors outside, outdoors; **au dehors** outside
déjà already
déjeuner breakfast; *n. m.* breakfast
demain tomorrow
demander ask (for)

demeurer live, dwell
demi, –e half, a half
dent *f.* tooth
départ *m.* departure, leaving
depuis since, from, for; **je suis libre depuis quatre jours** I have been free four days; **depuis que** since
derni–er, –ère last
derrière *adv. and prep.* behind; *n. m.* back, back part, rear; **porte de derrière** back door, postern (gate); **par derrière** from the rear
***des = de + les**
descendre go down, descend
désert deserted
désespoir *m.* despair, desperation
désirer want, desire, wish
dessous under, underneath, beneath; **au-dessous de** underneath
dessus *n. m.* top; *adv.* on top; **au-dessus de** above, over
détruire destroy
***deux** two; **tous les deux** both
deuxième second
devant in front (of), before; **au devant de** towards
devenir become, grow
deviendra *fut.* **devenir**
devien–s, –t, –nent *pres. ind.* **devenir**
devin–t, –rent *p. abs.* **devenir**
devoir ought, must, have to; be expected to; owe (*money*)
devoir *n. m.* duty
devriez *p. fut.* **devoir**
diable *m.* devil
Dieu *m.* God; **mon Dieu!**

6

my goodness! Heavens!
etc.
difficile difficult, hard
digne worthy
dimanche *m.* Sunday
*dire say, tell
dis, disent *pres. ind.* dire
disait *p. desc.* dire
disant *pres. part.* dire
discuter discuss, argue
dise *pres. subj.* dire
disparaissent *pres. subj.* disparaître
disparaître disappear
disparu *p.p.* disparaître
dit *pres. ind. and p.p.* dire
dites *impv. and pres. ind.* dire
*dix ten; dix-huit eighteen;
dix-neuf nineteen
dixième tenth
doigt *m.* finger
doi–s, –t, –vent *pres. ind.*
devoir
dommage *m.* shame, pity;
c'est dommage it is a
shame (pity)
donc therefore, indeed, so
*donner give; strike, deal
(*a blow*); blow (*wind*);
devote; donner sur look
out (face) upon
*dont whose, of whom, of
which, with which
dormeur *m.* sleeper
dormir sleep
dort *pres. ind.* dormir
dos *m.* back, shoulder
dot *f.* dowry; en dot as a
dowry
douceur *f.* sweetness, gentleness
douleur *f.* anguish, grief,
pain, suffering
douloureu–x, –se sorrowful,
painful, agonizing
doux, douce sweet, gentle,
soft, mild

douze twelve
drap *m.* cloth; sheet
droit *adj.* right; straight;
tout droit devant lui (elle,
etc.) straight ahead; *n. m.*
right
droite *f.* right hand, right
side; à droite at (on) the
right
*du = de + le
dû *p.p.* devoir
dur hard
durement *adv.* hard
durer last
dut, durent *p. abs.* devoir

E

eau *f.* water
échapper (s') escape
échelle *f.* ladder
éclairer light (up)
éclat *m.* burst, sound
éclater burst, break out
économie *f.* economy; *pl.*
savings
écouter listen (to)
écrier (s') cry (out)
écrire write
écrivait *p. desc.* écrire
écrivit *p. abs.* écrire
écu *m.* shield
église *f.* church
élever raise; s'élever arise,
rise
*elle she, it, her; *pl.* elles
they, them
embrasser kiss, embrace
emmener take (lead) away
empêcher (de) prevent
(from), keep from
employer use, employ
emporter remove, take away,
carry off
*en *prep.* in, into, at, to, on,
of; *pron.* of her, of him,
of it, with it, from there.

7

some, any; *conj.* (+ *pres. part.*) in, while, by, on
encore again, yet, still; **encore un** another
encre *f.* ink
endormi *adj.* asleep, sleeping
endormir put to sleep; **s'endormir** go to sleep
endroit *m.* place, spot
*****enfant** *m. and f.* child
enfer *m.* hell
enfermer shut up (in), lock up (*of persons*)
enfin finally, at last
ennemi *m.* enemy
ennuyer (s') be (grow) bored (weary, tired)
ennuyeu-x, –**se** tiresome, dull
énorme huge, enormous
ensemble together
entendre hear
enterrement *m.* burial, interment
entre between, among; **un d'entre eux** one of them
entrée *f.* entrance, entry; **porte d'entrée** entrance, gateway
entr'ouvert half-open, ajar
envers toward
envoyer send
épais, –**se** thick, dense
épaule *f.* shoulder
épée *f.* sword
épine *f.* thorn
épreuve *f.* test, trial
es, est *pres. ind.* être
escalier *m.* staircase, stairs
Espagne *f.* Spain
espérer hope (for)
espoir *m.* hope
essayer (de) try (to)
*****et** and; **et ... et** both ... and
étage *m.* floor, story (*of a house*)

été *p.p.* être
été *m.* summer
éteignit *p. abs.* éteindre
éteindre extinguish, put out; **s'éteindre** go out (*light*)
éteint *p.p.* éteindre
étendre (s') extend, stretch
étendue *f.* extent
êtes *pres. ind.* être
étoile *f.* star
étonner astonish
étrange strange
étrang–er, –**ère** *m. or f.* stranger, foreigner; *adj.* foreign
*****être** be; **être à quelqu'un** belong to someone; **soit ... ou ... ou** whether ... or ... or
étroit narrow
eu *p.p.* avoir
eut, eurent *p. abs.* avoir
eût *p. subj.* avoir
*****eux** them, they; **eux-mêmes** themselves
éveiller wake, waken, excite; **s'éveiller** wake up
évêque *m.* bishop
expliquer explain

F

fabrication *f.* manufacture
fabrique *f.* factory
face *f.* face; **en face (de)** in front (of), opposite
fâché *adj.* angry, sorry
fâcher (se) get (become) angry; **se fâcher contre** be angry with (at)
facile easy
façon *f.* way, manner; **à sa façon** in one's own manner
faible weak, feeble
faiblesse *f.* weakness, yielding

8

faim *f.* hunger

***faire** make, do; + *inf.* cause, have, make (*someone do something, or something be done*); **faire attention** (à) pay attention (to); **faire chaud** be warm (*weather*); **faire entrer** show in; **faire froid** be cold (*weather*); **faire des kilomètres** travel (walk, *etc.*) miles; **faire mal** (à) injure, do harm (to); **faire** (**un**) **mauvais** (**temps**) be bad weather; **faire mourir** kill; **faire une bonne nuit** have a good night's sleep; **faire peur à** frighten; **faire de la place** make room; **faire plaisir** give pleasure; **faire une promenade** take a walk; **faire des questions** ask questions; **faire savoir** inform; **faire semblant de** pretend to, make believe; **faire voir** show; **que faire?** what is to be done? what can (could) one do? **qu'est-ce que ça me fait?** what difference does that make to me? **faites-vous arrêter** get yourself arrested; **le mariage se fait** the marriage takes place; **s'il se peut faire** if it can be done; **il se fait tard** it is getting late

fais–ais, –ait *p. desc.* **faire**
faisant *pres. part.* **faire**
fait *pres. ind. and p.p.* **faire**
faites *pres. ind. and impv.* **faire**
falloir be necessary, must (*impersonal*)
farine *f.* flour

fasse *pres. subj.* **faire**
fatigué tired
fatiguer (**se**) become (get, grow) tired
faudra *fut.* **falloir**
faudrait *p. fut.* **falloir**
faut *pres. ind.* **falloir**
faute *f.* fault
faux *f.* scythe
fée *f.* fairy
***femme** *f.* woman, wife; **prendre femme** wed, take a wife
fenêtre *f.* window
fer *m.* iron
fer–ai, –a, –ont *fut.* **faire**
ferait *p. fut.* **faire**
ferme *f.* farm, farmhouse
fermer close, shut
fermier *m.* farmer
fête *f.* feast, festivity, celebration; **faire une fête** give a hearty welcome; **jour de fête** holiday
feu *m.* fire; **mettre le feu** set fire
feuille *f.* leaf
fiancé *m.*, **fiancée** *f.* betrothed
fiancer betroth, announce an engagement
fidèle faithful, constant
fi–er, ère proud
fifre *m.* fife
figure *f.* face
fille *f.* daughter, girl
fils *m.* son
fin *f.* end; **à la fin!** after all!
finir finish, end; **finir de parler** finish speaking; **en finir** (**avec**) have done with, put an end to; **finissons-en** let's put an end to it
finissait *p. desc.* **finir**
fit, firent *p. abs.* **faire**
fixe staring, fixed

9

fleur f. flower
fois f. time; une fois once; encore une fois once more; à la fois at a time, at the same time
fol, folle see fou
fond m. bottom, depth, back, remotest part; au fond at bottom, at heart
font pres. ind. faire
fontaine f. fountain, spring
force f. force, strength, might; de toutes ses forces with all his might
forêt f. forest
formidable dreadful, formidable
fort adj. strong; c'est trop fort! that's too much! adv. hard, fast, much, strongly
fossé m. ditch, moat
fou, fol, folle mad, insane, crazy; n. mad or insane person
fraîcheur f. freshness, coolness
frais, fraîche cool, fresh
franc m. franc (20¢, old value)
français adj. and n. French
frapper strike, hit, knock
frère m. brother
froid adj. cold; n. m. cold, coolness
fromage m. cheese
frotter rub
fumée f. smoke, wisp (smoke)
fumer smoke
fus, fut, furent p. abs. être
fusil m. gun, rifle
fusillade f. volley, fusillade
fusiller shoot (as a punishment)
fût p. subj. être

G

gagner earn, win, gain; reach
galères f. pl. galleys, prison (with hard labor)
galérien m. convict
gant m. glove
garçon m. boy; (young) fellow, man
garde m. guard, watchman; game warden
garde f. guard, watch; attention, heed, care; mettre sur ses gardes warn one; prendre garde (de) heed, be on one's guard (against), take care, beware
garder keep; take care of; protect, guard; Dieu m'en garde! God forbid!
gâteau m. cake
gâter spoil, ruin
gauche left; à gauche on the left
géant m. giant
gendarme m. gendarme (semi-military police officer)
gendre m. son-in-law
genou, -x m. knee; à genoux kneeling, on one's knees
gens m. and f. people; les jeunes gens young men
gentilhomme m. gentleman
glisser slip, slide
goutte f. drop
grade f. grade, rank
*grand great, big, large, tall; wide; main; la porte s'ouvrit toute grande the door opened wide; grand ouvert wide open; le grand soleil the hot sun
grange f. barn

10

grimper climb
gros, –se big, large, great
guérir cure, become well
guerre f. war; en guerre at war

H

habit m. coat, covering; pl. clothes
habitant m. inhabitant
habiter inhabit, dwell in, occupy, live (in)
haie f. hedge
hasardeu–x, –se venturesome, bold, daring
haut high; loud; n. m. top
hauteur f. height; à la hauteur de on the level with
herbe f. grass
heure f. hour; o'clock
heureusement fortunately, happily
heureu–x, –se happy
hier m. yesterday
histoire f. story, history
hiver m. winter
*homme m. man
honnête honest, respectable, honorable, decent
honneur m. honor
honte f. shame
hors (de) prep. out of, without
*huit eight
huître m. oyster
hutte f. hut

I

*ici here; par ici ! this way !
idée f. idea
*il he, it; there; pl. ils they
importer matter; que m'importe ? what does it matter to me? n'importe no matter

inconnu m. unknown person, stranger
instant m. instant; à l'instant instantly; à l'instant même at this very instant; par instants now and then
intéresser (s'— à) be interested (in)
inutile useless
invité m. guest
ir–ai, –as, –a, –ons, –ez, –ont fut. aller

J

jais m. jet (used in making beads)
jamais never, ever; ne ... jamais never; pour jamais forever, always
jambe f. leg
janvier m. January
jardin m. garden
jaune yellow
*je I
jeter throw, hurl, cast, fling; jeter un cri utter a cry; jeter les mains sur lay hands (violently) upon, seize
jeune young
joie f. joy, happiness
joignit p. abs. joindre
joindre join, clasp (hands)
joint p.p. joindre
joli pretty
jongleur m. juggler, minstrel
jouer play; jouer de play (instrument)
joueur m. player
*jour m. day; tous les jours every day
journal m. newspaper
journée f. day
joyeu–x, –se joyous, merry
juillet m. July
jurer swear, take oath

jusque until; jusqu'à until, as far as, to; jusqu'à ce que until

juste *n.m.* just *or* upright person; *adj.* just, fair

K

kilomètre *m.* kilometer (*0.6214 mile*)

L

*la *pron.* her, it; so; *art.* the; *used for poss. adj.* his, her

*là there; -là *distinguishes between* " that " *and* " this " (-ci); *see* **bas**

lâche *adj.* cowardly; *n. m.* coward

laid plain, homely

laisser leave, let, allow; **laisser dire** let someone talk; **laisser voir** show, let be seen

lait *m.* milk

langue *f.* tongue

large wide, large

*le *pron.* him, it; so; *art.* the; *used for poss. adj.* his, her

léger, légère light

lendemain *m.* next day, day after

lent slow

*lequel, lesquels, laquelle, lesquelles *rel. pron.* who, whom, which, that; *inter. pron.* which one? who? whom?

*les *pron.* them; *art.* the; *used for poss. adj.* his, her

*leur *pron.* to them, them; *adj.* their

lever raise, lift; **se lever** rise, get up

lèvre *f.* lip

libérer free, release, set at liberty

libre free

licorne *f.* unicorn

lierre *m.* ivy

ligne *f.* line, row

lire read

lisait *p. desc.* **lire**

lit *m.* bed

livre *m.* book

loin *adv.* far, far away; **au loin** far off, in the distance; **de loin** from a distance; **loin de là** far from it

lointain *adj.* distant, far (off)

long, longue long; **le long de** along, the length of

longtemps *adv.* long, a long time

*lui he, him, for him, to him, from him, for her, to her, from her; **lui-même** himself

lumière *f.* light

lune *f.* moon

lutte *f.* struggle

lutter struggle, strive

M

ma *see* **mon**

madame (Mme) madam, Mrs.

magasin *m.* store, shop

mai *m.* May

maigre thin, meager, lean

main *f.* hand

maintenant now

maire *m.* mayor

*mais but, however

maison *f.* house

maître *m.* master

maîtresse *f.* mistress

mal *adv.* badly, ill, wrong, bad; *n. m.* harm, hurt, pain, injury; evil, wrong

malade sick, ill

maladie *f.* disease, malady

12

malheur *m.* misfortune, bad luck; **de malheur** wretched

malheureu-x, –se unhappy, unfortunate

manger eat; **manger son argent** squander *or* waste one's money; **donner à manger** feed

manquer lack, be wanting, fail; **manquer d'emporter** almost carry away

manteau *m.* cloak

marchand *m.* merchant; *adj.* merchant, trade

marche *f.* motion, movement, progress

marcher walk, march, go; step, advance

mari *m.* husband

marier marry, give in marriage; **se marier (avec)** marry, get married; **les nouveaux mariés** newlyweds

matelas *m.* mattress

matin *m.* morning; **au matin** *or* **le matin** in the morning

maudit *p.p.* maudire cursed, confounded

mauvais bad, wretched

*me me, to me, for me, from me, myself, to myself

meilleur better, best

même *adj.* same, very; *pron.* self (**moi-même,** *etc.*); *adv.* even

mener lead

mentir lie, tell a lie

mer *f.* sea; **en mer** at (on the) sea

mère *f.* mother

mes *see* mon

messieurs = *pl.* monsieur

mètre *m.* meter (*1.09 yards*)

mettre put, put on, place, set; **mettre un couvert** set a place (*at table*); **se mettre à** + *inf.* begin to + *inf.;* **se mettre au lit** go to bed; **se mettre en route** start out; **se mettre à la mer** put to sea; **se mettre à table** sit down to table

meule *f.* millstone

meunier *m.* miller

meur–s, –t, –ent *pres. ind.* mourir

midi *m.* noon

*mien, –ne (le mien, *etc.*) mine

mieux *adv.* better, best; *n. m.* the best thing

milieu *m.* middle, midst; **au beau milieu de** right in the middle (midst) of

mille thousand

minuit *m.* midnight

mis *p.p.* mettre

mis, mit, mirent *p. abs.* mettre

misérable *adj.* miserable, wretched; *n. m.* wretch, criminal, scoundrel

misère *f.* misery, poverty, distress

mît *p. subj.* mettre

*moi I, me

moindre *adj.* less, least

moins *adv.* less, least; **au moins** at least; **de moins en moins** less and less

mois *m.* month

moitié *f.* half, part; **à moitié** partly, half

*mon, ma, mes my

monde *m.* world; **tout le monde** the whole world, everyone

monseigneur *m.* your *or* his Grace (*in addressing a bishop*)

monsieur (**M.**) *m.* sir, Mr.

montagne *f.* mountain
monter go up, rise; mount, get upon, ascend
montre *f.* watch
montrer show, point out (at)
morceau *m.* piece, morsel
mort *m.* dead man
mort *f.* death
mort *p.p.* mourir; *adj.* dead
mot *m.* word
mouche *f.* fly
mouchoir *m.* handkerchief
moudre grind (*grain*)
mouiller moisten, wet, dampen
moulin *m.* mill; moulin à vent windmill; moulin à vapeur steam mill
mourant *m.* a dying person
mourir die
mourrai *fut.* mourir
mourrait *p. fut.* mourir
moyen *m.* means, way
mur *m.* wall

N

naître be born
*ne: ne ... pas no, not; ne ... jamais never; ne ... plus no more, no longer; ne ... que only; ne ... personne no one, nobody; ne ... rien nothing, not anything; ne ... ni ... ni neither ... nor
né *p.p.* naître born
*neuf nine
nez *m.* nose
ni nor; ne ... ni ... ni neither ... nor
noce *f.* wedding, nuptials
noir black, dark
noix *f.* nut, walnut
nom *m.* name

nombreu-x, -se many, numerous
nommer name, call
non *adv.* no
*notre (*pl.* nos) *adj.* our
*nôtre (le nôtre, *etc.*) *pron.* ours
*nous we, us, to us, ourselves, to ourselves, each other, to each other, one another; nous-mêmes ourselves
nouveau, nouvel, nouvelle new; de nouveau again: le nouveau venu the newcomer
nouvelle *f.* news; de leurs nouvelles news of them
nu naked, bare; pieds nus barefoot
nuage *m.* cloud
nuit *f.* night; la nuit at night
numéro *m.* number

O

odeur *f.* smell, odor
œil (*pl.* yeux) *m.* eye
offert *p.p.* offrir
offrir offer
ohé! ahoy! halloo!
oiseau-x *m.* bird
ombre *f.* shadow, shade, darkness
*on one, someone, we, you, they, people
ont *pres. ind.* avoir
onze eleven
or *m.* gold
orage *m.* storm
oreille *f.* ear
ôter take off, remove
*ou or
*où *adv.* where, when; *rel. pron.* in(to) which, to which, whither; d'où whence

14

oublier forget
oui yes
ouvert *p.p.* ouvrir; *adj.* open
ouverture *f.* opening
ouvrir open

P

paille *f.* straw
pain *m.* bread, loaf
paix *f.* peace
palais *m.* palace
*par by, through, in, on, out
of; par jour a day (*in
reckoning working time*);
regarder par la fenêtre
look out the window; par
là that way
paradis *m.* Paradise
paraissait *p. desc.* paraître
paraître appear, seem
parce que because
pardieu ! by Jove !
parent *m.* relative, parent
paresseu–x, –se lazy
parler speak, talk
part *f.* part, share; quelque
part somewhere
partie *f.* part
partir depart, leave; à partir de from . . . on, after
partout everywhere
paru *p.p.* paraître
par–ut, –urent *p. abs.* paraître
pas *m.* step, pace
*pas *adv.* no, not; *see* ne
passé *m.* past
passer pass; passez votre
chemin ! go on your way !
se passer take place, go
on, happen
pauvre poor, wretched; *n.*
poor person, beggar
payer pay (for)
pays *m.* country, land, re-
gion, countryside

paysan *m.* peasant
peau *f.* skin
pêche *f.* fishing, catch (*of
fish*)
pêcher fish
pêcheur *m.* fisher, fisherman
peine *f.* difficulty
peinture *f.* painting
pendant during, for; pen-
dant que while
pensée *f.* thought
penser think; penser à
think of (about)
perdre lose; undo, ruin;
les yeux perdus eyes gaz-
ing vacantly; se perdre
become lost; une balle
perdue a stray bullet
père *m.* father; grand-père
grandfather
personne *f.* person; ne . . .
personne no one, nobody
perte *f.* loss
peser weigh, rest heavily
*petit *adj.* little, small;
petite-fille *f.* granddaughter
peu *adv.* little, few, not very
peuplier *m.* poplar tree
peur *f.* fear; avoir peur be
afraid; faire peur (à)
frighten
peut-être perhaps
peu–x, –t, –vent *pres. ind.*
pouvoir
phrase *f.* phrase, sentence
pièce *f.* piece, coin
pied *m.* foot; à pied on
foot
pierre *f.* stone
piquer stitch, sew; prick;
spur (*horse*)
pis *adv.* worse, worst
pitié *f.* pity; à (vous) faire
pitié pitifully
placard *m.* cupboard
place *f.* place; square (*city*);

15

room (*space*); stead; **en place !** take your places !

plaignait *p. desc.* **plaindre**

plaindre(se)complain, groan

plaint *pres. ind.* **plaindre**

plaire (à) please; **s'il vous plaît** if you please

plaise *pres. subj.* **plaire**

plaisir *m.* pleasure

planche *f.* board, plank

plancher *m.* floor, flooring

plâtre *m.* plaster

plein full

pleurer weep, cry, bemoan

pluie *f.* rain

*plus more; le plus most, the most; plus que more than; plus de more than, no more; de plus besides, more, in addition, moreover; de plus en plus more and more; non plus neither, either; ne ... plus no longer, no more

plusieurs several

poche *f.* pocket

point *m.* point; **point du jour** daybreak

poisson *m.* fish

poitrine *f.* breast, chest

pomme *f.* apple; **pomme de terre** potato

pompeu-x, -se pompous

pont *m.* bridge

porte *f.* door; gate (*city*)

porter carry, bear; wear (*clothes*)

poudre *f.* powder

*pour for, to, in order to; pour que in order that, so that

pourboire *m.* tip

pourquoi why

pourr-ai, -a, -ez, -ont *fut.* **pouvoir**

pourr-ais, -ait, -iez, -aient *p. fut.* **pouvoir**

pousser push; grow; **pousser un cri** utter a cry, scream

poussière *f.* dust

pouvoir *m.* power, might

*pouvoir can, be able, may; il se peut it may be

précis exact, precise; **à six heures précises** at exactly six o'clock

premi-er, -ère first

pren-ais, -ait, -aient *p. desc.* **prendre**

*prendre take (up, on), seize, catch, capture; prendre garde take care, be on one's guard, beware, heed

prenne *pres. subj.* **prendre**

prennent *pres. ind. and subj.* **prendre**

près near; nearly; **près de** near, close, almost

presque almost

pressé in a hurry, hurried

presser squeeze, press; **se presser** be in a hurry

prêt *adj.* ready

prêtre *m.* priest

prier beg, ask; beseech, entreat; **prier Dieu** pray

pris *p.p.* **prendre**

prisonnier *m.* prisoner

prit *p. abs.* **prendre**

prix *m.* value, price; **à bas prix** at a low price, cheap

prochain *adj.* next

produire produce, create, cause

produisit *p. abs.* **produire**

profond deep, profound

projet *m.* plan, project

promenade *f.* walk; **faire une promenade** take a walk

promesse *f.* promise

promettre promise

promis *p.p.* **promettre**

16

promit *p. abs.* **promettre**
proposition *f.* proposal
propre own
propriété *f.* property
protéger protect
pu *p.p.* **pouvoir**
puis *pres. ind.* **pouvoir**
puis then (*time*), after that
puisque since; but
puisse *pres. subj.* **pouvoir**
put *p. abs.* **pouvoir**
pût, pussent *p. subj.* **pouvoir**

Q

*qu' = **que**
quai *m.* wharf, quay, platform (*railroad*)
quand when
quarante forty; **quarante-six** forty-six
quart *m.* quarter; **quart d'heure** quarter of an hour
quatorze fourteen
*quatre four; **quatre-vingts** eighty
quatrième fourth
*que *rel. pron.* whom, which, that; *inter. pron.* what? *adv.* how! what! (*in exclamations*); *conj.* that, than, as, whether, so that; **ce que** what, that which; **ne ... que** only (que *is often untranslated*)
*quel, -le *adj.* what, which; what! what a! (*in exclamations*)
quelque *adj.* some, a few, any
quelquefois sometimes
quelqu'un *pron.* someone, somebody, anyone, anybody; *pl.* some
*qui *rel. pron.* who, whom, which, that; *inter. pron.* who? whom? **ce qui** what, that which

quinze fifteen
quitter leave, quit
*quoi *pron.* what, which; **quoi!** what! how is that! **de quoi** the whereby, wherewithal, means

R

râcler scrape; **râcler un violon** fiddle
raconter relate, tell (*story*)
raide stiff
raison *f.* reason; **avoir raison** be right; **perdre la raison** lose one's mind, become insane
rallumer light again
ramener bring back
rang *m.* rank; row, line
rangée *f.* row, line
rappeler call back, recall; **se rappeler** remember
recevoir receive
recharger reload, load again
rechercher seek
reçoi-s, -t, -vent *pres. ind.* **recevoir**
recommencer begin again
reconnaissent *pres. ind.* **reconnaître**
reconnaissiez *pres. subj.* **reconnaître**
reconnaître recognize
reconnu *p.p.* **reconnaître**
reconnut *p. abs.* **reconnaître**
reçu *p.p.* **recevoir**
reçut *p. abs.* **recevoir**
redevenir become again
redire say (tell) again, repeat
refermer close again
regard *m.* look, regard, glance
regarder look (at); concern
règlement *m.* rule, regulation

17

regretter regret, lament, grieve for, be sorry for

reine *f.* queen

relever raise again, pick (take) up; **se relever** rise (get up) again

relire re-read, read again

remède *m.* medicine, remedy

remercier (de) thank (for)

remettre replace, put back (on again), straighten, set (*a bone*); **se remettre à** + *inf.* begin again + *inf.;* **se remettre en route** start out again; **se remettre à table** sit down again at table

remis *p.p.* remettre

remit *p. abs.* remettre

remonter climb (go) up again, go back (up)

remplacer replace

remplir fill

remuer stir, move

rencontrer meet, encounter

rendez-vous *m.* appointment, meeting (place)

rendormir (se) go to sleep again

rendre give back, return, render, make

rentrer return, go (back) in, come back

renvoyer send away, dismiss

reparaître appear again

reparu *p.p.* reparaître

repasser pass again; **passer et repasser** pass (go) back and forth

répondre reply, answer

réponse *f.* reply, answer, response

repos *m.* rest, repose

reposer (se) rest

reprendre take back, take (up) again, seize again, recapture

reprirent *p. abs.* reprendre

respiration *f.* breathing, respiration

respirer breathe

rester remain, stay, rest

retenir retain, hold (keep) back

retient *pres ind.* retenir

retint *p. abs.* retenir

retomber fall again (back)

retour *m.* return

retourner return, turn (again), go back; **se retourner** turn around

retrouver find again

réussir (à) succeed (in)

rêve *m.* dream

réveiller *see* éveiller

revenir return, come back

rêver dream

reverr–ai, –a, –ez *fut.* revoir

reviendr–ai, –a, –ons *fut.* revenir

reviendriez *p. fut.* revenir

revien–t, –nent *pres. ind.* revenir

revin–s, –t, –rent *p. abs.* revenir

revoir see again; **au revoir** good-bye (*not final*)

revu *p.p.* revoir

richesse *f.* wealth

rideau *m.* curtain, screen

*rien nothing; anything; **ne** . . . **rien** nothing

rire *v.* laugh; *n.m.* laugh

robe *f.* dress, robe, gown

rocher *m.* rock

roi *m.* king

rond round

roue *f.* wheel

rouge red

rouler roll

route *f.* road, route, way; **grand'route** highway; **en route** on the way, let's go ! **se mettre en route** start out

rouvrir open again
rue *f.* street

S

sa *see* son
sable *m.* sand
sac *m.* knapsack; bag, sack
sachant *pres. part.* savoir
sach-e, -ez *impv.* savoir
sai-s, -t *pres. ind.* savoir
saisir seize
sale dirty, soiled
salle *f.* hall, room
saluer greet, salute
sang *m.* blood
sanglier *m.* wild boar
*sans without; sans que
conj. without
santé *f.* health
Sarrasin *m.* Saracen (*name
given in the Middle Ages
to the Arab invaders o,
Europe*)
satisfaire satisfy
satisfait *p.p.* satisfaire
saura *fut.* savoir
sauter jump
sauvage wild
*savoir know, know how,
can, be able; savoir que
dire (faire) know what to
say (do); faire savoir inform
*se himself, herself, itself,
oneself, themselves; *also*
to himself, *etc.*; (to) each
other, one another
sec, sèche dry; sharp
(*sound*)
sécher dry
secouer shake
Seigneur *m.* Lord
seine *f.* seine (*triangular
fishing net*)
seize sixteen
sel *m.* salt

semaine *f.* week
semblant *m.* appearance,
pretense
sembler seem
sentiment *m.* feeling, sense,
sentiment
sentir feel; smell
*sept seven
ser-ai, -as, -a, -ez, -ont
fut. être
ser-ait, -iez *p. fut.* être
serrer press, squeeze, clasp,
clutch
serrure *f.* lock
servir serve, be useful; servir de serve as; se servir
de use, make use of
ses *see* son
seul single, alone, only
seulement only
*si *conj.* if, whether; *adv.* so
*sien, -ne (le sien, *etc.*) *pron.*
his, hers, its
silencieu-x, -se silent, quiet
sire *m.* sir, lord (*in address*)
sixième sixth
sœur *f.* sister
soie *f.* silk
soif *m.* thirst; avoir soif be
thirsty
soigner care for, look after,
attend to
soin *m.* care, attention
soir *m.* evening
soirée *f.* evening
sois *impv.* être
soi-s, -t *pres. subj.* être
soixante sixty; soixante-dix
soldat *m.* soldier [seventy
soleil *m.* sun, sunshine;
prendre le soleil sun oneself; par le grand soleil
in the hot sun
solide solid, strong
sombre dark, somber,
gloomy, dismal
sommes *pres. ind.* être

19

*son, sa, ses *adj.* his, her, its
son *m.* sound
sonner sound, strike (*clock*)
sont *pres. ind.* être
sortir (de) go (come) out (of), leave, issue
sou *m.* cent
soudain *adj.* sudden; *adv.* suddenly
souffert *p.p.* souffrir
souffle *m.* breath, puff (*of air, wind*)
souffrir suffer
soulever lift, raise up
soumettre submit, undergo
souper *v.* have supper; *n. m.* supper
sourd dull, muffled
sourire smile; *n. m.* smile
sous under
souvenir (se — de) remember
souvent often
soyez *pres. subj. and impv.* être
su *p.p.* savoir
sud *m.* south
suis *pres. ind.* être
suit *pres. ind.* suivre
suite *f.* succession; **tout de suite** at once, immediately
suivre follow
sujet *m.* subject; **au sujet de** on the subject of, about, concerning
*sur on, upon, over, above
surprendre surprise
surpris *p.p.* surprendre
surveiller watch (over), keep an eye on
suspendre suspend, hang
sut *p. abs.* savoir
sût *p. subj.* savoir

T

ta *see* **ton**

tabac *m.* tobacco
tache *f.* spot, stain
tacher spot, stain, soil
tailleur *m.* tailor
tant so much, so many, so
tard late
tas *m.* heap, pile
*te thee, you, to (for, from) thee (you), thyself, yourself, to (for) thyself (yourself)
temps *m.* time; weather; **de temps en temps** occasionally, from time to time; **à temps** in time; **faire mauvais temps** be bad weather; **il a fait son temps** he has lived his life
tendre stretch, extend, spread; **tendre la main** hold out one's hand
tenir hold, keep, have; remain; **tenir bon** stand firm (*one's ground*); **tenez!** hold on! look here, now! look! **se tenir (debout)** stand (up); **se tenir tranquille** stand still, keep quiet
terre *f.* earth, land, ground; **à (par) terre** on(to) the ground *or* floor
tes *see* **ton**
tête *f.* head
*tien, –ne (le tien, *etc.*) *pron.* thine, yours
tiendra *fut.* tenir
tien–s, –t, –nent *pres. ind.* tenir
tint *p. abs.* tenir
tirer draw, pull, take out of; fire (*a gun*)
*toi thou, thee, you; **toi-même** thyself, yourself
toit *m.* roof
tomber fall; **laisser tomber** drop, let fall

20

*ton, ta, tes *adj.* thy, your

tonnerre *m.* thunder; **coup de tonnerre** thunderclap

tôt soon; **le plus tôt possible** as soon as possible

toujours always, still, ever, constantly

tour *f.* tower

tournant *m.* turn, bend

tournoi *m.* tournament

*tout, tous, toute, toutes *adj. and pron.* all, the whole, every, everyone, everything; *adv.* very, quite, entirely, wholly; **rien (pas) du tout** nothing (not) at all; **tout à fait** wholly, completely; **tout en +** *pres. part.* while + *pres. part.;* **tous les deux** both

traîner drag, crawl, wander

traiter treat

tranquille quiet, tranquil

tranquillité *f.* quiet, peace, tranquillity

travail *m.* work, task

travailler work

travers *m.* breadth; **de travers** in the wrong direction, askew; **à travers** across, through

traverser cross, traverse, go *or* come through

treize thirteen

treizième thirteenth

trente thirty; **trente-six** thirty-six

très very

tribunal *m.* court, tribunal

triste sad

tristesse *f.* sadness

*trois three

troisième third

tromper deceive; **se tromper** be mistaken

tronc *m.* trunk (*of tree*)

trop too much (many), too

trou *m.* hole

trouver find, judge, think; **se trouver** be, happen (to be)

*tu thou, you

tuer kill

tueur *m.* killer

U

*un, une *art.* a, an; *adj.* one; *pron.* one; **l'un l'autre** each other; **les uns les autres** one another; **les uns ... les autres** some ... others; **l'un et l'autre** both

utile useful

V

va *pres. ind. and impv.* aller

vague *f.* wave

vais, vas, va, vont *pres. ind.* aller

valeur *f.* worth, value; valor

valoir be worth; **valoir mieux** be better, be worth more

vapeur *f.* steam; **moulin à vapeur** steam mill

vaudrait *p. fut.* valoir

vaut *pres. ind.* valoir

vécu *p.p.* vivre

vécut *p. abs.* vivre

veille *f.* evening *or* day before, eve

veiller (sur) watch (over), keep an eye on, take care of

vendre sell

*venir come; **venir de +** *inf.* have just + *p.p.*

vent *m.* wind

venue *f.* coming, approach

vérité *f.* truth

21

verr–ai, –as, –a, –ons, –ez
  fut. voir
verre *m.* glass
vers towards, to; about
vert green
veuille *pres. subj.* vouloir
veux, veut, veulent *pres. ind.*
  vouloir
viande *f.* meat
vicomte *m.* Viscount
vide *adj.* empty; à vide
  adv. empty
vider empty
vie *f.* life; livelihood, living
vieil *see* vieux
viendr–a, –as *fut.* venir
viendr–ais, –ait, –aient *p.*
  fut. venir
vienn–e, –ent *pres. subj.*
  venir
vien–s, –t, –nent *pres. ind.*
  venir
vieux, vieil, vieille old; *n.*
  old man (woman)
vif, vive alive, lively, spirited, quick
vigne *f.* vine, grapevine,
  vineyard
ville *f.* city
vin *m.* wine
vingt twenty
vin–t, –rent *p. abs.* venir
viole *f.* viola (*The medieval instrument used was
  really a vielle or hurdy-
  gurdy.*)
violon *m.* violin, fiddle
violoneux *m.* (*usually* vio-
  loneur) fiddler
vis *impv.* vivre
vis, vit, virent *p. abs.* voir
visage *m.* face
vit *pres. ind.* vivre
vite *adj.* quick; *adv.* quickly
vitesse *f.* speed; à toute
  vitesse at full speed
vivant living, alive

vivement *adv.* quickly
vivre live
voici here is (are); this is
  these are
voilà there is (are); that is,
  those are
*voir see; faire voir show
voisin *n.m.*, voisine *f.* neighbor; *adj.* next, near-by,
  neighboring
voiture *f.* wagon, cart
voix *f.* voice; à (d'une) voix
  basse in a low voice
vol *m.* theft
voler steal
volet *m.* blind, shutter
voleur *m.* thief
vont *pres. ind.* aller
*votre (*pl.* vos) *adj.* your
*vôtre (le vôtre, *etc.*) *pron.*
  yours
voudr–ai, –a, –ez, –ont *fut.*
  vouloir
voudr–ais, –ait, –iez, –aient
  p. fut. vouloir
*vouloir wish, want, will,
  like; je le veux (bien) I
  am willing
voulu–t, –rent *p. abs.* vouloir
*vous you, to you, yourself,
  yourselves, to yourself,
  to yourselves, each other,
  to each other; vous-
  même yourself; vous-
  mêmes yourselves
voyageur *m.* traveler
voyant *pres. part.* voir
voy–ons, –ez *pres. ind.*
  voir
vrai true, real
vu *p.p.* voir
vue *f.* sight, view

Y

*y there, at it, in it, to it at

22

them, to them; **il y a**
there is (are), **ago** (*in
time expressions*)
yeux *m.* (*pl. of* œil) eyes;
ouvrir de grands yeux
open one's eyes wide,
stare in astonishment,
stand staring; **les yeux
perdus** with eyes gazing
vacantly